理系留学生のための

自然科学の日本語

細井和雄 編著

HOSOI Kazuo

Natural Science Japanese
for International Students

スリーエーネットワーク

Published by 3A Corporation.
Trusty Kojimachi Bldg., 2F, 4, Kojimachi 3-Chome, Chiyoda-ku, Tokyo 102-0083, Japan

ISBN978-4-88319-870-2 C0081

First published 2020
Printed in Japan

まえがき

　本書は日本の教育機関で自然科学を学ぶことを志す理系留学生のための日本語学習の教本です。それぞれの専門の勉学を始める前の段階で自然科学系の日本語の文章にふれ、慣れ親しむことでスムーズに専門の学習へ進むことができるように企画しました。対象とする学習者の日本語レベルはおよそN1ですが、N2の学生も学習できるように配慮されています。本書では、化学、工学、情報科学、医学・生命科学、宇宙科学の5分野から題材を選び、それぞれの分野の記事を読み解く力をつけられるように編集しました。学習者が将来専門とする分野以外の分野の記事も含まれますが、そのような記事も読解できるようになることで、自然科学系の日本語の幅を身につけることができると信じています。本書の特徴・留意点は次の通りです。

1. 本書は10課からなり、各課は「本文」、「ルビ付き本文」、「重要語句の訳」、「問題」から構成されています。本文中の「重要語句」はゴチック体で示し、その訳を「重要語句」表に掲載しています。（課タイトルや見出しの語句が「重要語句」にとりあげられている場合もあります。）同一の重要語句が複数の課に出現した場合、各課の「重要語句」表に重複掲載しています。このため、学習者はどの課からでも学習を開始しやすくなっています。

2. 各課の本文中、「重要語句」として挙げた語句にはベトナム語、中国語および英語の訳語を掲載しています。これらの訳は、本文中の意味に最も近いと思われる訳を記載しています。そのため、語句が本来常用されている意味から少しずれている可能性もあります。

3. 「問題」では、日本語話者が繁用するやや特殊な日本語表現や構文などを取り上げ、理解を促しながら、記事の内容を深く理解できているかどうかを問うように作成しています。

4. 学習時間は、学習者のレベルや教授の仕方にもよりますが、本書全体を20 - 30時間（各課を2, 3時間程度）で終えられるように構成されています。

尚、本書への転載をご承諾下さいました各出版社、新聞社、および原著者の皆様方に対して心からお礼を申し上げます。また、本書の出版にあたり大変お世話になりました（株）スリーエーネットワークの佐野智子様に深くお礼申し上げます。

令和2年6月

細井和雄

目次

化学

1. 化学が「夢」を「現実」にする 2

2. 世界を変えるか、驚異の新素材カーボンナノチューブ 11

3. 導電性高分子——白川英樹博士の業績 26

工学

4. ロボットはどこまで人間に近づくか 37

5. 2014年度ノーベル物理学賞——青色LED発明 45

6. リチウムイオン電池の発明 56

情報科学

7. Googleの「量子超越」 AIしのぐ技術革新の衝撃 66

医学・生命科学

8. iPS細胞 創薬でも注目、既存薬でALS治験へ 75

9. 「神の領域」に近づくゲノム編集 人間での研究はどこまで許されるか ... 86

宇宙科学

10. ブラックホール撮影 次は「ジェット」の仕組み解明へ 98

1. 化学が「夢」を「現実」にする

原子・分子レベルの物づくり

　「将来は原子を1個ずつ積み上げて物質をつくることが可能となる」。1959年に米国の科学者、リチャード・P・ファインマン*がそう発言したとき、①どれだけの人がそれに共感できただろうか。もし共感できたとしても、きっと「遠い未来」だと考えたことだろう。しかし現在、人類はその「夢」を達成しつつある。

　化学という学問・研究分野は、さまざまな物質を分析し、そこから得られた知見をもとに新たな物質の創造を導くという役割も担っている。したがって、「ファインマンの予測」が現実化する過程において、化学こそが大きな働きを果たしてきており、②それがフィードバックされることにより、化学はさらに発展しつつある。

　「ファインマンの予測」の現実化。それをまさに達成しようとしているのは、「ナノテクノロジー」と呼ばれる技術だ。「ナノ」とは10の−9乗を意味し、ナノメートル（nm）は1mの10億分の1にあたる。地球の直径1万kmを1mと仮定すると、1円玉の大きさが1nmにあたる。そのような超微細なレベルで物質を取り扱うということは、原子・分子レベルで起きる現象を操作・制御するということであり、従来の技術では考えられなかったような機能や性質を持った物質もそこから誕生する。

　「ナノテクノロジー」という概念は「21世紀の産業革命」とも表現される。2001年に米国のクリントン大統領（当時）が国家的戦略研究目標としたことから、あるいは日本でも③多くの国家予算がそれに割かれていることからもわかるように、④大きな期待と注目を集めている新技術である。

「夢」が身近な現実へ

　ナノテクノロジーへのアプローチには2つのルートがある。「トップダウン」

と「ボトムアップ」である。**前者**は、ものをどんどん小さく削っていき、ナノメートルサイズの小さな**加工**を行うことを意味する。後者は、原子や分子などを組み合わせて**ナノスケールの超微細デバイスや材料など**を組み立てる。そしてこれらを組み合わせることで、さらに**効果的・効率的なナノテクノロジー**が可能になるのだ。特に「ボトムアップ」は、化学そのものといえる。

　例えば**炭素**は、**結合のしかた**が違うだけで黒鉛（炭）になったりダイヤモンドになったりする。つまり原子の並び方や結合の仕方が異なれば、性質も大きく変わってくる。その炭素から生まれた**フラーレン**（直径約0.7 nm）や**カーボンナノチューブ**（直径約0.5〜10 nm）はナノテクノロジーの**象徴的な物質**で、最初に応用が検討された⑤医療分野、エレクトロニクス分野などにとどまらず、広い分野に応用できる**素材**として期待を集めている。

　先述したクリントン大統領の発表では、ナノテクノロジーによって「鉄の10倍の強度の新材料によって、すべての乗り物を**軽量化して燃料消費を抑制する**」「コンピュータの計算速度を100万倍以上に高める」「がん細胞を検知し、そこに**遺伝子や薬物を的確に送り込む**」「太陽電池の**エネルギー効率を2倍にする**」などが目標とされている。このことからもわかるようにナノテクノロジーは、広い分野にわたって現在の社会を**一変させる可能性**を秘めたテクノロジーであり、2010年に5.6兆円とされる日本におけるその**市場規模**は、2015年には23兆円になるという予測もある。

　ナノテクノロジーはもはや「夢物語」ではない。そしてその大きな「**推進力**」が、化学なのである。

日本化学会編『決定版 感動する化学──未来をひらく化学の世界』　東京書籍より一部改変

＊編著者注釈　経路積分や、素粒子の反応を図示化したファインマン・ダイアグラムの考案者。1965年、量子電磁力学における功績で、ジュリアン・S・シュウィンガー、朝永振一郎とともにノーベル物理学賞を受賞。

I 漢字・語句・表現

1. 以下で漢字の読み方と重要語句の意味を確認してください。

---

1. 化学が「夢」を「現実」にする

原子・分子レベルの物づくり

「将来は原子を1個ずつ積み上げて物質をつくることが可能となる」。1959年に米国の科学者、リチャード・P・ファインマン*がそう発言したとき、①どれだけの人がそれに共感できただろうか。もし共感できたとしても、きっと「遠い未来」だと考えたことだろう。しかし現在、人類はその「夢」を達成しつつある。

化学という学問・研究分野は、さまざまな物質を分析し、そこから得られた知見をもとに新たな物質の創造を導くという役割も担っている。したがって、「ファインマンの予測」が現実化する過程において、化学こそが大きな働きを果たしてきており、②それがフィードバックされることにより、化学はさらに発展しつつある。

「ファインマンの予測」の現実化。それをまさに達成しようとしているのは、「ナノテクノロジー」と呼ばれる技術だ。「ナノ」とは10の−9乗を意味し、ナノメートル（nm）は1mの10億分の1にあたる。地球の直径1万kmを1mと仮定すると、1円玉の大きさが1nmにあたる。そのような超微細なレベルで物質を取り扱うということは、原子・分子レベルで起きる現象を操作・制御するということであり、従来の技術では考えられなかったような機能や性質を持った物質もそこから誕生する。

「ナノテクノロジー」という概念は「21世紀の産業革命」とも表現される。2001年に米国のクリントン大統領（当時）が国家的戦略研究目標としたことから、あるいは日本でも③多くの国家予算がそれに割かれていることからもわかるように、④大きな期待と注目を集めている新技術である。

「夢」が身近な現実へ

　ナノテクノロジーへのアプローチには2つのルートがある。「トップダウン」と「ボトムアップ」である。前者は、ものをどんどん小さく削っていき、ナノメートルサイズの小さな加工を行うことを意味する。後者は、原子や分子などを組み合わせてナノスケールの超微細デバイスや材料などを組み立てる。そしてこれらを組み合わせることで、さらに効果的・効率的なナノテクノロジーが可能になるのだ。特に「ボトムアップ」は、化学そのものといえる。

　例えば炭素は、結合のしかたが違うだけで黒鉛（炭）になったりダイヤモンドになったりする。つまり原子の並び方や結合の仕方が異なれば、性質も大きく変わってくる。その炭素から生まれたフラーレン（直径約0.7 nm）やカーボンナノチューブ（直径約0.5～10 nm）はナノテクノロジーの象徴的な物質で、最初に応用が検討された⑤医療分野、エレクトロニクス分野などにとどまらず、広い分野に応用できる素材として期待を集めている。

　先述したクリントン大統領の発表では、ナノテクノロジーによって「鉄の10倍の強度の新材料によって、すべての乗り物を軽量化して燃料消費を抑制する」「コンピュータの計算速度を100万倍以上に高める」「がん細胞を検知し、そこに遺伝子や薬物を的確に送り込む」「太陽電池のエネルギー効率を2倍にする」などが目標とされている。このことからもわかるようにナノテクノロジーは、広い分野にわたって現在の社会を一変させる可能性を秘めたテクノロジーであり、2010年に5.6兆円とされる日本におけるその市場規模は、2015年には23兆円になるという予測もある。

　ナノテクノロジーはもはや「夢物語」ではない。そしてその大きな「推進力」が化学なのである。

＊編著者注釈　経路積分や、素粒子の反応を図示化したファインマン・ダイアグラムの考案者。1965年、量子電磁力学における功績で、ジュリアン・S・シュウィンガー、朝永振一郎とともにノーベル物理学賞を受賞。

重要語句
<ruby>重要<rt>じゅうよう</rt></ruby><ruby>語<rt>ご</rt></ruby><ruby>句<rt>く</rt></ruby>

日本語	Tiếng Việt	中文	English
<ruby>原<rt>げん</rt></ruby><ruby>子<rt>し</rt></ruby>	nguyên tử	原子	atom
<ruby>分<rt>ぶん</rt></ruby><ruby>子<rt>し</rt></ruby>	phân tử	分子	molecule
<ruby>積<rt>つ</rt></ruby>み<ruby>上<rt>あ</rt></ruby>げる	chồng lên	堆积起来	pile up, accumulate
<ruby>発<rt>はつ</rt></ruby><ruby>言<rt>げん</rt></ruby>する	nói	宣布，发言	state, say
<ruby>共<rt>きょう</rt></ruby><ruby>感<rt>かん</rt></ruby>する	đồng cảm, đồng tình	同感、共鸣	empathize, agree
<ruby>達<rt>たっ</rt></ruby><ruby>成<rt>せい</rt></ruby>する	đạt được	达成、完成	achieve, realize
<ruby>学<rt>がく</rt></ruby><ruby>問<rt>もん</rt></ruby>	học tập	学问	academic
<ruby>研<rt>けん</rt></ruby><ruby>究<rt>きゅう</rt></ruby><ruby>分<rt>ぶん</rt></ruby><ruby>野<rt>や</rt></ruby>	lĩnh vực nghiên cứu	研究领域	field of research, field of study
<ruby>分<rt>ぶん</rt></ruby><ruby>析<rt>せき</rt></ruby>する	phân tích	分析	analyze
<ruby>知<rt>ち</rt></ruby><ruby>見<rt>けん</rt></ruby>	kiến thức	知识、见识	knowledge
<ruby>創<rt>そう</rt></ruby><ruby>造<rt>ぞう</rt></ruby>	sự sáng tạo	创造	creation
<ruby>導<rt>みちび</rt></ruby>く	dẫn đến	导致、推导	lead, induce
<ruby>役<rt>やく</rt></ruby><ruby>割<rt>わり</rt></ruby>を<ruby>担<rt>にな</rt></ruby>う	gánh vác vai trò	承担作用	assume a role of
<ruby>果<rt>は</rt></ruby>たす	hoàn thành	完成、实现	achieve, play (role in)
ナノ テクノロジー	công nghệ nano	纳米技术	nanotechnology
AのN<ruby>乗<rt>じょう</rt></ruby>	lũy thừa bậc N của A	A的N次方	A raised to the power of N, the Nth power of A
<ruby>仮<rt>か</rt></ruby><ruby>定<rt>てい</rt></ruby>する	giả sử	假设、假定	suppose, assume
<ruby>超<rt>ちょう</rt></ruby><ruby>微<rt>び</rt></ruby><ruby>細<rt>さい</rt></ruby>な	siêu nhỏ	极其微小的	ultrafine, superfine
<ruby>取<rt>と</rt></ruby>り<ruby>扱<rt>あつか</rt></ruby>う	điều khiển, xử lý	使用操作	manipulate, work on
<ruby>操<rt>そう</rt></ruby><ruby>作<rt>さ</rt></ruby>する	vận hành	操作	operate
<ruby>制<rt>せい</rt></ruby><ruby>御<rt>ぎょ</rt></ruby>する	kiểm soát	控制、驾驭	control
<ruby>従<rt>じゅう</rt></ruby><ruby>来<rt>らい</rt></ruby>の	thông thường	一直以来的	previous, traditional, up to now
<ruby>概<rt>がい</rt></ruby><ruby>念<rt>ねん</rt></ruby>	khái niệm	概念	concept

日本語	Tiếng Việt	中文	English
さんぎょうかくめい 産業革命	cách mạng công nghiệp	产业革命、 工业革命	industrial revolution
こっか てきせんりゃく 国家的戦略 けんきゅうもくひょう 研究目標	mục tiêu nghiên cứu chiến lược quốc gia	国家战略研究目标	national strategic research goal
こっか よさん 国家予算	ngân sách nhà nước	国家预算	national budget
アプローチ	sự tiếp cận	接近	approach
ぜんしゃ 前者	cái (được đề cập) trước	前者	former
か こう 加工	sự xử lý, sự gia công	加工	processing
ナノスケール	kích cỡ nano	纳米级	nanoscale
デバイス	thiết bị, dụng cụ	装置、设备	device
こう か てき 効果的な	có tác dụng	有效的	effective
こうりつてき 効率的な	hiệu quả	效率好的、 高效的	efficient
たん そ 炭素	cacbon	碳	carbon
けつごう 結合	liên kết	键（化学键）	bond
こくえん 黒鉛	than chì	黑铅、石墨	graphite
フラーレン	fuloren	碳笼、富勒稀	fullerene
カーボンナノ チューブ	ống nanocacbon	碳纳米管	carbon nanotube
しょうちょうてき 象徴的な	có tính tượng trưng	象征性的	symbolic
い りょうぶん や 医療分野	lĩnh vực y tế	医疗领域	medical field
エレクトロニ クス	điện tử	电子工学	electronics
そざい 素材	vật liệu	素材、原材料	materials
せんじゅつ 先述した	được đề cập ở trên	前述的、上述的、 上面提到过	mentioned above
けいりょう か 軽量化する	giảm khối lượng	轻量化	reduce weight
ねんりょう 燃料	nhiên liệu	燃料	fuel
よくせい 抑制する	hạn chế	抑制	curb, suppress
がん細胞 さいぼう	tế bào ung thư	癌细胞	cancer cells

日本語	Tiếng Việt	中文	English
検知する	phát hiện	检测	detect
遺伝子	gien	基因、遗传基因	gene
薬物	thuốc	药物、药品	drug
的確に	chính xác	正确地	exactly, accurately
太陽電池	pin mặt trời	太阳电池	solar battery
効率	hiệu suất	效率	efficiency
一変させる	biến đổi hoàn toàn	让～一变	change completely, transform
可能性を秘める	sở hữu tiềm năng	有潜在可能性	have (hidden) potential
市場規模	quy mô thị trường	市场规模	market size
夢物語	chuyện trong mơ	梦想故事	dream (narrative)
推進力	lực đẩy	推动力	propulsion power, driving force, thrust, driver

2. 下線①～⑤の語句・表現について、質問に答えてください。

① この文の意図することは、次のどれか。
ア 多くの人がそれに共感しただろう。
イ 多くの人がそれに共感しなかっただろう。
ウ それに共感した人の数は全く見当がつかない。

② 「フィードバック」（日本語＝帰還）とはどのような意味か。

③ 「国家予算がそれに割かれている」とはどのような意味か。「割く」を使った例文を作りなさい。

④ 「大きな期待と注目を集めている新技術である。」の主語は何か。

⑤ 「とどまらず」の意味を説明しなさい。

Ⅱ 本文の内容について次の問いに答えてください。

1. ファインマンはどのような予測をしたか。また、その予測は現在どのように実現されようとしているか。

2. ナノテクノロジーでは2つの技術が考えられる。それぞれどのようなものか。また、化学はどちらの技術に深くかかわるか。

3. クリントン大統領の発表では、ナノテクノロジーによってどのような目標が掲げられたか。

4. 次のA、Bに適切な語句を入れて、文章を完成させなさい。
   （　A　）と呼ばれる技術が「ファインマンの予測」を達成しようとしている。その過程において、（　B　）こそが大きな働きを果たしている。

5．本文の大意を150字以内にまとめなさい。

（原稿用紙：縦10行×横15マス）

2. 世界を変えるか、驚異の新素材カーボンナノチューブ

　鋼鉄の数十倍の強さを持ち、いくら曲げても折れないほどしなやかで、薬品や高熱にも耐え、銀よりも電気を、ダイヤモンドよりも熱をよく伝える。コンピュータを今より数百倍高性能にし、エネルギー問題を解決する可能性まで秘めている……。そんな材料があると聞いたら、①みなさんは信じられるでしょうか？　その夢の新素材は日本で、ついでに言えば筆者の住むつくば市で発見されました。

夢の新素材誕生

　1990年のC_{60}*の大量合成法発見により、90年代初頭の科学界はフラーレンブームに沸き返っていました。この方法は、炭素電極をアーク放電によって蒸発させると、陽極側にたまった「すす」にC_{60}が大量に含まれているというものです。こうして各国の研究所がフル稼動でフラーレンを生産しようと躍起になっていたころ、世界でたった一人だけ「陰極側」のすすを観察していた人物がいました。NEC基礎研究所の、飯島澄男主席研究員（現在名城大教授兼任）がその人です。

　博士がフラーレンを観察しようと陰極にたまったすすを電子顕微鏡にかけてみたところ、球状のフラーレンとは全く違う、からみ合った細長いチューブ状のものがたくさん観察されました。驚異の新素材「カーボンナノチューブ」が人類の前に初めて姿を現わした瞬間でした。

　当初カーボンナノチューブは「フラーレンのちょっと変わった親戚」くらいに考えられていましたが、1996年にスモーリー教授（フラーレンの発見者の一人、ノーベル賞受賞者）が大量合成法を発見したのをきっかけに爆発的に研究が進み、今ではフラーレン類さえもしのぐほど大きな注目を集める存在となっています。

ナノチューブの秘密

　炭素の最も普通の形態である**グラファイト**（鉛筆の芯に含まれる）は、蜂の巣状の平面的なシートが**積み重な**ったものです。それに対してカーボンナノチューブは、このグラファイトのシートがチューブ状に丸まったものです（図1）。

グラファイト

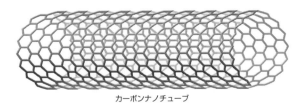

カーボンナノチューブ

図1　グラファイトとカーボンナノチューブ

　当初発見されたナノチューブは大小のチューブが②入れ子のように数層重なったものでしたが、やがて1層だけのものも**合成できる**ようになりました。ナノチューブの太さはその名の通りナノメートル（10億分の1メートル）**オーダー**で、長さはその数千倍に達します。

　ベンゼン環などの六角形を作る炭素（専門的にはsp^2炭素といいます）同士の**結合**は、③ありとあらゆる原子結合の中でも最も強いといわれます。カーボンナノチューブは全体がこの最強の結合でできていますから、**極めて曲げや引っぱりに強く**、かつ多くの薬品とも**反応せず**非常に安定なのです。またナノチューブは、このsp^2炭素のおかげで電子材料としても非常に優れた**特性**を持っています。ナノチューブはなんと電気をよく通す**良導体**にも、また**半導体**にもなり

うるのです。

　先に、ナノチューブは六角形の蜂の巣状のシートを**丸めたような**形態といいましたが、この丸め方も端と端をまっすぐくっつける丸め方と、上下の**ずれた**、らせん状にねじれたような丸め方とが考えられます。この**ねじれ具合**とチューブの径の太さによって、そのナノチューブが半導体になるか良導体になるかが決まります（図2）。

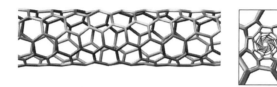

図2　ねじれ構造のカーボンナノチューブとその内部

　半導体のナノチューブは**後述する**ようにコンピュータの**素子**として大きな可能性が考えられますし、良導体の方も金属の電線などを**上回る**性質が期待されます。例えば、一般的な銅線では1平方センチあたり100万アンペアほどの電流を流すと焼き切れてしまいますが、安定かつ丈夫なナノチューブは10億アンペアを流すことができます。こうしたことから、「人類は今後何万年かかっても、カーボンナノチューブ以上の素材を作り出すことはできないだろう」と言う人までいるほどです。

史上最も強靭な繊維

　こうした素晴らしいナノチューブの特性を生かし、驚くほどたくさんの応用が考えられ、いくつかはすでに実用化に向けて動き出しています。

　まず④ナノチューブはとてつもなく丈夫な素材ですので、これを**編み込む**ことができれば素晴らしく**頑丈な**繊維ができあがるはずです。欠陥のないナノチューブだけで**ロープ**を作ることができれば、直径1センチで1200トンを**吊り上げられる**計算になるそうで、今までのどんな材料と比べてもその強靭さは**まさにケタ外れ**です。すでにナノチューブを使用したテニスラケットやゴルフクラブ

が発売されているほか、車のバンパーにもナノチューブが配合されたものがあるということです。建築や特殊材料の分野でも、近い将来に応用製品が続々と出現しそうです。

　将来的に期待される分野として、ナノチューブの宇宙開発への応用があります。現在宇宙へ飛び立つには毎回ロケットを打ち上げなければならないわけですが、これは莫大なエネルギーを消費する上、燃料として有害な物質を放出するため環境汚染にもつながります。そこで宇宙までケーブルを伸ばし、そこを伝って荷物や人間を上げ下ろしする「軌道エレベータ」というアイディアが考えられているのです。あまりに奇想天外な話のようですが、実現すればこれが一番経済的かつ環境にも優しい宇宙旅行になりえます。

　ただこれはケーブルに使う材質に非常な強度が求められるため、理論的には面白くとも実現は不可能と思われていました。しかし⑤ここにきて極めて軽く丈夫なカーボンナノチューブという素材が登場し、にわかに⑥軌道エレベータという発想が現実味を帯びてきたわけです。今のところこれほどの長さで欠陥のないナノチューブを作ることには成功していませんし、技術的な問題点は山積していますが、非常に将来に夢を持たせてくれる話ではあります。

電子材料として

　またカーボンナノチューブは、電子材料としても大きな期待を受けています。先ほど述べたとおり、カーボンナノチューブは電気の良導体にも半導体にもなりえます。このうち半導体がコンピュータの新たな素材として注目を集めているのです。

　現在のコンピュータはご存知のとおりシリコンのチップでできており、これはケイ素の純粋な結晶の上に極めて微細な配線を作り出したものです。ところがこのシリコンチップの高密度化は、あと数年のうちに「原理的にこれ以上は詰め込めない」という限界に達することがわかっています。⑦コンピュータ技術の進展が頭打ちになってしまえば、パソコンや携帯電話など、⑧現代経済を

支える市場が大きなダメージを受けることは想像に難くありません。

　そこに登場するのがカーボンナノチューブです。シリコンチップでは配線の細さの理論的限界は50〜100ナノメートルですが、ナノチューブは1ナノメートル程度ですからはるかに高密度の配線が可能になります。しかもナノチューブによるコンピュータは現在のものよりずっと低電力で、かつ1000倍以上高速（1テラヘルツ以上）でも正確に動作すると考えられています。技術的課題はまだ多いのですが、2010年頃にはナノチューブトランジスタが実用化できるのではないかと見られています。

佐藤健太郎『有機化学美術館へようこそ—分子の世界の造形とドラマ—』技術評論社より一部改変

＊編著者注釈　C_{60} はバックミンスターフラーレンと呼ばれ、炭素原子60個がサッカーボール型に集まって出来上がった分子で、その発見は全くの偶然によるものだった。

I 漢字・語句・表現

1. 以下で漢字の読み方と重要語句の意味を確認してください。

2. 世界を変えるか、驚異の新素材カーボンナノチューブ

　鋼鉄の数十倍の強さを持ち、いくら曲げても折れないほどしなやかで、薬品や高熱にも耐え、銀よりも電気を、ダイヤモンドよりも熱をよく伝える。コンピュータを今より数百倍高性能にし、エネルギー問題を解決する可能性まで秘めている……。そんな材料があると聞いたら、①みなさんは信じられるでしょうか？　その夢の新素材は日本で、ついでに言えば筆者の住むつくば市で発見されました。

夢の新素材誕生

　1990年のC_{60}*の大量合成法発見により、90年代初頭の科学界はフラーレンブームに沸き返っていました。この方法は、炭素電極をアーク放電によって蒸発させると、陽極側にたまった「すす」にC_{60}が大量に含まれているというものです。こうして各国の研究所がフル稼動でフラーレンを生産しようと躍起になっていたころ、世界でたった一人だけ「陰極側」のすすを観察していた人物がいました。NEC基礎研究所の、飯島澄男主席研究員（現在名城大教授兼任）がその人です。

　博士がフラーレンを観察しようと陰極にたまったすすを電子顕微鏡にかけてみたところ、球状のフラーレンとは全く違う、からみ合った細長いチューブ状のものがたくさん観察されました。驚異の新素材「カーボンナノチューブ」が人類の前に初めて姿を現わした瞬間でした。

　当初カーボンナノチューブは「フラーレンのちょっと変わった親戚」くらいに考えられていましたが、1996年にスモーリー教授（フラーレンの発見者の一人、ノーベル賞受賞者）が大量合成法を発見したのをきっかけ

に爆発的に研究が進み、今ではフラーレン類さえもしのぐほど大きな注目を集める存在となっています。

ナノチューブの秘密

炭素の最も普通の形態であるグラファイト（鉛筆の芯に含まれる）は、蜂の巣状の平面的なシートが積み重なったものです。それに対してカーボンナノチューブは、このグラファイトのシートがチューブ状に丸まったものです（図1）。

当初発見されたナノチューブは大小のチューブが②入れ子のように数層重なったものでしたが、やがて1層だけのものも合成できるようになりました。ナノチューブの太さはその名の通りナノメートル（10億分の1メートル）オーダーで、長さはその数千倍に達します。

ベンゼン環などの六角形を作る炭素（専門的にはsp^2炭素といいます）同士の結合は、③ありとあらゆる原子結合の中でも最も強いといわれます。カーボンナノチューブは全体がこの最強の結合でできていますから、極めて曲げや引っぱりに強く、かつ多くの薬品とも反応せず非常に安定なのです。またナノチューブは、このsp^2炭素のおかげで電子材料としても非常に優れた特性を持っています。ナノチューブはなんと電気をよく通す良導体にも、また半導体にもなりうるのです。

先に、ナノチューブは六角形の蜂の巣状のシートを丸めたような形態といいましたが、この丸め方も端と端をまっすぐくっつける丸め方と、上下のずれた、らせん状にねじれたような丸め方とが考えられます。このねじれ具合とチューブの径の太さによって、そのナノチューブが半導体になるか良導体になるかが決まります（図2）。

半導体のナノチューブは後述するようにコンピュータの素子として大きな可能性が考えられますし、良導体の方も金属の電線などを上回る性質が期待されます。例えば、一般的な銅線では1平方センチあたり100万アン

ペアほどの電流を流すと焼き切れてしまいますが、安定かつ丈夫なナノチューブは10億アンペアを流すことができます。こうしたことから、「人類は今後何万年かかっても、カーボンナノチューブ以上の素材を作り出すことはできないだろう」と言う人までいるほどです。

史上最も強靭な繊維

こうした素晴らしいナノチューブの特性を生かし、驚くほどたくさんの応用が考えられ、いくつかはすでに実用化に向けて動き出しています。

まず④ナノチューブはとてつもなく丈夫な素材ですので、これを編み込むことができれば素晴らしく頑丈な繊維ができあがるはずです。欠陥のないナノチューブだけでロープを作ることができれば、直径1センチで1200トンを吊り上げられる計算になるそうで、今までのどんな材料と比べてもその強靭さはまさにケタ外れです。すでにナノチューブを使用したテニスラケットやゴルフクラブが発売されているほか、車のバンパーにもナノチューブが配合されたものがあるということです。建築や特殊材料の分野でも、近い将来に応用製品が続々と出現しそうです。

将来的に期待される分野として、ナノチューブの宇宙開発への応用があります。現在宇宙へ飛び立つには毎回ロケットを打ち上げなければならないわけですが、これは莫大なエネルギーを消費する上、燃料として有害な物質を放出するため環境汚染にもつながります。そこで宇宙までケーブルを伸ばし、そこを伝って荷物や人間を上げ下ろしする「軌道エレベータ」というアイディアが考えられているのです。あまりに奇想天外な話のようですが、実現すればこれが一番経済的かつ環境にも優しい宇宙旅行になりえます。

ただこれはケーブルに使う材質に非常な強度が求められるため、理論的には面白くとも実現は不可能と思われていました。しかし⑤ここにきて極めて軽く丈夫なカーボンナノチューブという素材が登場し、にわかに⑥軌道エレベータという発想が現実味を帯びてきたわけです。今のところ

これほどの長さで欠陥のないナノチューブを作ることには成功していませんし、技術的な問題点は山積していますが、非常に将来に夢を持たせてくれる話ではあります。

電子材料として

またカーボンナノチューブは、電子材料としても大きな期待を受けています。先ほど述べたとおり、カーボンナノチューブは電気の良導体にも半導体にもなりえます。このうち半導体がコンピュータの新たな素材として注目を集めているのです。

現在のコンピュータはご存知のとおりシリコンのチップでできており、これはケイ素の純粋な結晶の上に極めて微細な配線を作り出したものです。ところがこのシリコンチップの高密度化は、あと数年のうちに「原理的にこれ以上は詰め込めない」という限界に達することがわかっています。⑦コンピュータ技術の進展が頭打ちになってしまえば、パソコンや携帯電話など、⑧現代経済を支える市場が大きなダメージを受けることは想像に難くありません。

そこに登場するのがカーボンナノチューブです。シリコンチップでは配線の細さの理論的限界は50〜100ナノメートルですが、ナノチューブは1ナノメートル程度ですからはるかに高密度の配線が可能になります。しかもナノチューブによるコンピュータは現在のものよりずっと低電力で、かつ1000倍以上高速（1テラヘルツ以上）でも正確に動作すると考えられています。技術的課題はまだ多いのですが、2010年頃にはナノチューブトランジスタが実用化できるのではないかと見られています。

＊編著者注釈　C_{60} はバックミンスターフラーレンと呼ばれ、炭素原子60個がサッカーボール型に集まって出来上がった分子で、その発見は全くの偶然によるものだった。

重要語句

日本語	Tiếng Việt	中文	English
驚異の	đáng kinh ngạc	惊异的、惊人的	amazing
新素材	vật liệu mới	新素材、新材料	new material
鋼鉄	thép	钢	steel
しなやかな	dẻo	柔美的、柔优的、优美的	supple
耐える	chịu được	能忍耐，能承受	endure, withstand
銀	bạc	银	silver
高性能	hiệu suất cao	高性能	high-efficiency, high-performance
可能性を秘める	có tiềm năng	有潜在的可能性	have (hidden) potential
合成法	phương pháp tổng hợp	合成方法	synthesis method
90年代初頭	đầu thập niên 90	90年代初	(in the) early 1990s
フラーレン	fuloren	富勒烯	fullerene
沸き返る	phấn khích, xôn xao	变得兴奋、大惊小怪兴奋不已	be excited, be in ferment
炭素電極	điện cực cacbon	碳电极	carbon electrode
アーク放電	hồ quang điện, xả hồ quang	电弧放电	arc discharge
蒸発する	bay hơi	蒸发	evaporate
陽極（側）	(bên) cực dương	阳极（边）	anode (side)
すす	bồ hóng	煤烟	soot
フル稼動	vận hành toàn lực	全面开动、全面工作、全面运转	full operation
躍起になる	háo hức, hăm hở	变得狂热	be eager to, rush to
陰極（側）	(bên) cực âm	阴极（边）	cathode (side)
電子顕微鏡	kính hiển vi điện tử	电子显微镜	electron microscope
からみ合う	bện vào nhau	很纠结互相缠绕、搅在一起	be intertwined

日本語	Tiếng Việt	中文	English
チューブ状	hình ống	管状的	tube-shaped, tubular
爆発的に	một cách ồ ạt, mạnh mẽ	爆炸性地	(grow) explosively
炭素	cacbon	碳	carbon
形態	hình dạng	形态、形状	form
グラファイト	than chì	石墨、黑铅	graphite
蜂の巣状	hình tổ ong	蜂窝一样	honeycombed
平面的な	phẳng	平面的	planar, flat
積み重なる	chồng lên nhau	垒积起来	pile up, accumulate
合成する	tổng hợp	合成	synthesize
オーダー	cấp độ	程度、概数	degree
ベンゼン環	vòng benzen	苯环	benzene ring
結合	liên kết	键（化学键）	bond
原子	nguyên tử	原子	atom
極めて	vô cùng, cực kỳ	极其、极为、非常	extremely
引っぱり	lực kéo	拉伸	tension, pulling force
反応する	phản ứng	反应	react
特性	tính chất	特性	characteristic, property
良導体	chất dẫn tốt	良导体	good conductor
半導体	chất bán dẫn	半导体	semiconductor
丸める	cuộn lại	卷起来	curl, roll into circular form
ずれる	lệch	错位	move slightly out of position
らせん状	hình xoắn ốc	螺旋状	spiral
ねじれる	xoắn, cuộn	拧起来	be twisted
ねじれ具合	trạng thái xoắn	扭曲程度、扭曲状态	degree of twisting
径	đường kính	直径	diameter
後述する	trình bày sau đây	后述、以后讲述	as described later

日本語	Tiếng Việt	中文	English
素子	nguyên tố, phần tử	单元、元件	element
上回る	vượt trội	超过	exceed, surpass
平方センチ	cm vuông	平方厘米	square centimeter
アンペア	ampe	安培	ampere
強靭な	chắc, bền	坚韧的、坚强的	tough
編み込む	đan, bện	编入	weave ～ into …
頑丈な	vững chắc	坚固的	sturdy
欠陥	nhược điểm	缺陷	defect
ロープ	sợi dây	绳索	rope
吊り上げる	nhấc lên	吊起来	lift up
まさに	chính xác, chắc chắn	正如	exactly
ケタ外れ	phi thường	出类拔萃	extraordinary, incredible, amazing
配合する	kết hợp	使化合、使结合、混合	combine
開発	khai phá	开发、开辟	development
飛び立つ	bay vào	起飞、飞上	fly up to
打ち上げる	phóng	发射	launch
燃料	nhiên liệu	燃料	fuel
有害な	có hại	有害的	harmful
放出する	thải ra	放出、排除	release, emit
環境汚染	ô nhiễm môi trường	环境污染	environmental pollution
ケーブル	dây cáp	电缆	cable
伝う	đi dọc theo	沿着、沿行	go along, follow
軌道	quỹ đạo	轨道	orbit, orbital
奇想天外な	chưa từng có, không tưởng	异想天开的	amazing, unheard-of
にわかに	đột ngột	突然	suddenly
山積する	đầy rẫy	堆积如山	pile up, accumulate, exist in abundance (problems)

日本語	Tiếng Việt	中文	English
シリコン	silicon	硅	silicon
チップ	vi mạch	芯片	chips
ケイ素	nguyên tố silic	硅	silicon
結晶	tinh thể	结晶	crystal
配線	hệ thống (dây) điện, dây nối	布线	wiring
高密度化	tăng cường mật độ	致密化	densification
理論的限界	giới hạn về mặt lý thuyết	理论极限	theoretical limit
はるかに	hơn nữa	～得多	far (more), by far
動作する	vận hành	运作	operate
ナノチューブ トランジスタ	bóng bán dẫn ống nano	纳米管晶体管	nanotube transistor

2. 下線①～⑧の語句・表現について、質問に答えてください。

① 「みなさんは信じられるでしょうか？」という表現を用いることの意図は何か。また、このような構文を何というか。

② 「入れ子」とは何か。

③ この文の「ありとあらゆる」を別の表現で言い換えなさい。

④ この文で、「とてつもなく」を別の単語に置き換えなさい。

⑤ 「ここにきて」とはどのような意味か。また、この語句はどの語句を修飾しているか。

⑥ この文で、「現実味を帯びてきた」とはどのような意味か。

⑦ この文で、「頭打ちになる」とはどのような意味か。

⑧ この文で、「想像に難くありません」とはどのような意味か。

Ⅱ 本文の内容について次の問いに答えてください。

1. この文章の著者はカーボンナノチューブの2つの優れた特性に注目し、この素材の利用価値を述べている。それぞれについて簡単に説明しなさい。

2. カーボンナノチューブの持っている上記2つの性質以外の優れた性質を挙げなさい。

3．この記事から得られる教訓はあるか。あれば簡単に述べなさい。

3. 導電性高分子—白川英樹博士の業績

2000年10月、日本の科学界に**朗報**が走りました。白川英樹筑波大名誉教授にノーベル化学賞の授与が決まったのです（アラン＝マクダイアミッド、アラン＝ヒーガー両教授との共同受賞）。「導電性高分子の発見と**開発**」というのがその内容でした。

高分子というのは数万以上の**原子**から成る**巨大分子**のことで、ここでは**プラスチック**のことと思っていただいて間違いありません。身の回りにあるポリエチレンや**発泡スチロール**といったプラスチックは、ご存じのとおり全く電気を通しません。導電性プラスチックとはこれらと何か違うのでしょうか？　それには**電子の働き**について知っていただく必要があります。

電気を通すプラスチック

電気が**流れる**ということは、①とりもなおさず電子が流れるということにほかなりません。電子はマイナスの電気を持った小さな**粒子**で、例えば金属の中ではこの電子は**比較的自由に動き回れます**。鉄や銅といった金属が電気を流すというのはこういうことです。

電気を通さないプラスチック、例えばポリエチレンは図3のような構造をしています。②ポリエチレンの場合、全ての電子は過不足なく使われていて、電子があちこち動き回る隙は全くありません。

それに対して白川博士らの導電性高分子**ポリアセチレン**は図4のような構造を持ちます。**単結合**（－）と**二重結合**（＝）が**交互**に並んでいるのがわかります。アセチレン（C_2H_2）がたくさん（ギリシャ語でpoly）つながってできたのでこの名があります。

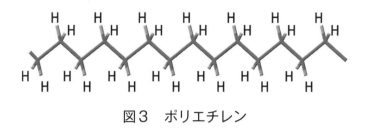

図3　ポリエチレン

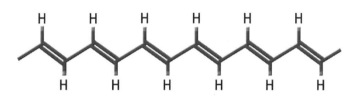

図4　ポリアセチレン

　二重結合のうち1本の**結合**に使われる π **電子**は、分子の鎖の上下にぼんやり
と広がった状態になっています。こうした単結合と多重結合が交互に並んでい
る状態を専門用語で「**共役系**」といいます。③この中をバケツリレーのように
して電子が**通過していく**わけで、いわばポリアセチレン鎖は**炭素**でできたナノ
サイズの電線というわけです。

　とはいえ、実はこれだけでは電子を伝えることはできません。まるで満員電
車のように鎖の上にぎっしりと π 電子が並んでいて、隙間がないからです。バ
ケツリレーをするのに、みなが最初から両手にバケツを持っていては**受け渡し**
ができないのと同じです。そこで一列に並ぶ電子をところどころ**引っこ抜いて**、
「穴を開けてやる」必要があります。こうすれば電子を順ぐりに送ってやるこ
とが可能になります。

　「穴を開ける」には具体的にどうするかというと、臭素やヨウ素といった電
子を奪う性質のある物質を**作用させて**やるのです。これを専門用語で「ドーピ
ング」といいます。ドーピングを行うことで④導電性はそれまでの10億倍に
も跳ね上がり、金属と肩を並べるほどになります。

偶然の発見

実はポリアセチレン自体は白川博士が発見したものではなく、すでに1955年には合成が報告されていました。しかし当時のポリアセチレンは真っ黒な粉末としてしか得られておらず、そのままでは性質を調べることもできなかったため、⑤科学者たちの興味を引くには至っていませんでした。

1967年の秋、当時東工大の助手であった白川博士のもとに、一人の韓国人留学生から「ポリアセチレンの合成をしてみたい」という申し出がありました。ポリアセチレンは触媒を溶かした液にアセチレンガスを吹き込み、溶液中で重合させて合成します。白川博士は報告されていた方法を紙に書いて渡し、実験を行わせてみました。ところが、できたものは予期された黒い粉末ではなく、ラップのようにしなやかな銀色のフィルムでした。

予想外の出来事が起こった原因は、留学生が必要な量の1000倍もの触媒を加えていたことでした〔単位のm（ミリ）を見落としたらしいのですが、これが博士の書き間違いか留学生の読み落としかいまだにわからないそうです〕。このため普通は溶液の中でゆっくり進む反応が溶液の表面で一気に起こり、薄い膜ができあがったのでした。粉末と異なり、フィルム状態の高分子ならいろいろな試験が可能になります。こうして一気にポリアセチレン研究は加速していきました。そして1976年、たまたま東工大を訪れたマクダイアミッド教授はこの金属光沢のあるフィルムを見て驚き（銀色であるというのは、金属に近い性質を反映しています）、すぐさま共同研究を申し出ます。こうして白川博士はアメリカへ渡り、⑥やがてドーピングによる導電性の発現という大発見に至ることになったのでした。

ノーベル賞の価値

この偶然の発見は、発明物語につきものの面白いエピソードであるためマスコミで何度も紹介され、有名な話になりました。⑦が、幸運が大きな飛躍をもたらしたのは事実であるものの、その幸運を生かすには発見（フィルム状高分子）

の価値を正しく理解し、その原因を**究明**し、そこからの**展開**を考える能力、さらにそれを支える膨大で地道な実験が必要になります。ましてより大きな飛躍であるドーピングのアイディアは、白川博士のそれまでの経験と知識の中から導き出されたものです＊。単に宝くじに当たったような具合にノーベル賞が**転がり込んだ**わけではないことは、もっと強調されて**しかるべき**と思われます。

　　　　佐藤健太郎『有機化学美術館へようこそ─分子の世界の造形とドラマ─』技術評論社より一部改変

＊編著者注釈　偶然に思いがけない幸運な発見をする能力、またはその能力を行使することをセレンディピティという。この能力により、失敗した実験の結果から予想外の有用なデータや知識を得たり、検索結果を点検しているときにノイズの中から偶然に当初の目的とは異なる価値のある情報を発見したりできる。ただし、すべてが偶然や幸運に依存するのではなく、有用なデータ、情報に気付くための基盤となる潜在的な知識や集中力、観察力、洞察力を要する。英国の小説家、ウォルポール（Horace Walpole 1717-1797）がスリランカの昔話『セイロン（Serendip）の三王子』（*Three Princes of Serendip*）にちなんで造った語といわれる。

1. 以下で漢字の読み方と重要語句の意味を確認してください。

3. 導電性高分子——白川英樹博士の業績

2000年10月、日本の科学界に朗報が走りました。白川英樹筑波大名誉教授にノーベル化学賞の授与が決まったのです（アラン＝マクダイアミッド、アラン＝ヒーガー両教授との共同受賞）。「導電性高分子の発見と開発」というのがその内容でした。

高分子というのは数万以上の原子から成る巨大分子のことで、ここではプラスチックのことと思っていただいて間違いありません。身の回りにあるポリエチレンや発泡スチロールといったプラスチックは、ご存じのとおり全く電気を通しません。導電性プラスチックとはこれらと何か違うのでしょうか？　それには電子の働きについて知っていただく必要があります。

電気を通すプラスチック

電気が流れるということは、①とりもなおさず電子が流れるということにほかなりません。電子はマイナスの電気を持った小さな粒子で、例えば金属の中ではこの電子は比較的自由に動き回れます。鉄や銅といった金属が電気を流すというのはこういうことです。

電気を通さないプラスチック、例えばポリエチレンは図3のような構造をしています。②ポリエチレンの場合、全ての電子は過不足なく使われていて、電子があちこち動き回る隙は全くありません。

それに対して白川博士らの導電性高分子ポリアセチレンは図4のような構造を持ちます。単結合（−）と二重結合（＝）が交互に並んでいるのがわかります。アセチレン（C_2H_2）がたくさん（ギリシャ語でpoly）つながってできたのでこの名があります。

二重結合のうち1本の結合に使われるπ電子は、分子の鎖の上下にぼんやりと広がった状態になっています。こうした単結合と多重結合が交互に並んでいる状態を専門用語で「共役系」といいます。③この中をバケツリレーのようにして電子が通過していくわけで、いわばポリアセチレン鎖は炭素でできたナノサイズの電線というわけです。

　とはいえ、実はこれだけでは電子を伝えることはできません。まるで満員電車のように鎖の上にぎっしりとπ電子が並んでいて、隙間がないからです。バケツリレーをするのに、みなが最初から両手にバケツを持っていては受け渡しができないのと同じです。そこで一列に並ぶ電子をところどころ引っこ抜いて、「穴を開けてやる」必要があります。こうすれば電子を順ぐりに送ってやることが可能になります。

　「穴を開ける」には具体的にどうするかというと、臭素やヨウ素といった電子を奪う性質のある物質を作用させてやるのです。これを専門用語で「ドーピング」といいます。ドーピングを行うことで④導電性はそれまでの10億倍にも跳ね上がり、金属と肩を並べるほどになります。

偶然の発見

　実はポリアセチレン自体は白川博士が発見したものではなく、すでに1955年には合成が報告されていました。しかし当時のポリアセチレンは真っ黒な粉末としてしか得られておらず、そのままでは性質を調べることもできなかったため、⑤科学者たちの興味を引くには至っていませんでした。

　1967年の秋、当時東工大の助手であった白川博士のもとに、一人の韓国人留学生から「ポリアセチレンの合成をしてみたい」という申し出がありました。ポリアセチレンは触媒を溶かした液にアセチレンガスを吹き込み、溶液中で重合させて合成します。白川博士は報告されていた方法を紙に書いて渡し、実験を行わせてみました。ところが、できたものは予期された黒い粉末ではなく、ラップのようにしなやかな銀色のフィルムでした。

予想外の出来事が起こった原因は、留学生が必要な量の1000倍もの触媒を加えていたことでした〔単位のm（ミリ）を見落としたらしいのですが、これが博士の書き間違いか留学生の読み落としかいまだにわからないそうです〕。このため普通は溶液の中でゆっくり進む反応が溶液の表面で一気に起こり、薄い膜ができあがったのでした。粉末と異なり、フィルム状態の高分子ならいろいろな試験が可能になります。こうして一気にポリアセチレン研究は加速していきました。そして1976年、たまたま東工大を訪れたマクダイアミッド教授はこの金属光沢のあるフィルムを見て驚き（銀色であるというのは、金属に近い性質を反映しています）、すぐさま共同研究を申し出ます。こうして白川博士はアメリカへ渡り、⑥やがてドーピングによる導電性の発現という大発見に至ることになったのでした。

ノーベル賞の価値

　この偶然の発見は、発明物語につきものの面白いエピソードであるためマスコミで何度も紹介され、有名な話になりました。⑦が、幸運が大きな飛躍をもたらしたのは事実であるものの、その幸運を生かすには発見（フィルム状高分子）の価値を正しく理解し、その原因を究明し、そこからの展開を考える能力、さらにそれを支える膨大で地道な実験が必要になります。ましてより大きな飛躍であるドーピングのアイディアは、白川博士のそれまでの経験と知識の中から導き出されたものです*。単に宝くじに当たったような具合にノーベル賞が転がり込んだわけではないことは、もっと強調されてしかるべきと思われます。

＊編著者注釈　偶然に思いがけない幸運な発見をする能力、またはその能力を行使することをセレンディピティという。この能力により、失敗した実験の結果から予想外の有用なデータや知識を得たり、検索結果を点検しているときにノイズの中から偶然に当初の目的とは異なる価値のある情報を発見したりできる。ただし、すべてが偶然や幸運に依存するのではなく、有用なデータ、情報に気付くための基盤となる潜在的な知識や集中力、観察力、洞察力を要する。英国の小説家、ウォルポール（Horace Walpole 1717-1797）がスリランカの昔話『セイロン（Serendip）の三王子』（Three Princes of Serendip）にちなんで造った語といわれる。

日本語	Tiếng Việt	中文	English
どうでんせいこうぶん し 導電性高分子	polime dẫn điện	导电聚合物	conductive polymer
ろうほう 朗報	tin tốt	好消息	good news
かいはつ 開発	phát triển	开发	develop
げん し 原子	nguyên tử	原子	atom
きょだいぶん し 巨大分子	đại phân tử	大分子、高分子	macromolecules
プラスチック	nhựa	塑料	plastic
ポリエチレン	polietilen	聚乙烯	polyethylene
はっぽう 発泡スチロール	xốp polixtiren	泡沫聚苯乙烯	polystyrene foam
でん し 電子	điện tử, electron	电子	electron
でん き　　なが (電気が)流れる	(điện) chạy	允许 (电流) 通过	(an electric current) flows
りゅうし 粒子	hạt	粒子	particle
ひ かくてき 比較的	một cách tương đối	比较	relatively
うご　まわ 動き回る	chuyển động vòng quanh	来回地动	move around
すき 隙	chỗ trống	缝隙、缝	gap, space
ポリアセチレン	poliaxetilen	聚乙炔	polyacetylene
たんけつごう 単結合	liên kết đơn	单键	single bond
に じゅうけつごう 二重結合	liên kết đôi	双键	double bond
こう ご 交互に	luân phiên	交替地	alternately
けつごう 結合	liên kết	键（化学键）	bond
パイ でん し π 電子	electron pi	π 电子	π electron
きょうやくけい 共役系	hệ liên hợp	共轭体系	conjugated system
つう か 通過する	đi qua	通过、经过	pass through
たん そ 炭素	cacbon	碳	carbon
ナノサイズ	kích cỡ nano	纳米单位	nano size
う　　わた 受け渡し	giao nhận	交接、授受	delivery and receipt, handing on

日本語	Tiếng Việt	中文	English
引っこ抜く	kéo ra	拔出	pull out
順ぐりに	lần lượt	轮流	in turn, in sequence
作用させる	làm ~ phản ứng	对~起作用	be activated, be applied to
導電性	tính dẫn điện	导电性	electric conductivity
跳ね上がる	tăng lên, nhảy lên	暴涨	jump, soar
合成	sự tổng hợp	合成	synthesis
粉末	bột	粉末	powder
触媒	chất xúc tác	触媒、催化剂	catalyst
溶液	dung dịch	溶液	solution
重合させる	polime hóa	聚合	be polymerized
しなやかな	dẻo	柔美的、柔优的、优美的	supple
読み落とす	đọc sót	漏看	overlook in reading
反応	phản ứng	反应	reaction
一気に	cùng một lúc, tức thì	一口气、一下子	instantly, straightaway, immediately
膜	lớp màng	膜片、一片薄膜	membrane
光沢	nước bóng	光泽	luster, gloss
共同研究	nghiên cứu chung	共同研究	joint research
やがて	nhanh chóng, chẳng bao lâu	不久	before long
発現	biểu hiện	发现	expression
飛躍	bước nhảy, cú nhảy	飞跃	major advance, leap
究明する	điều nghiên	探究	investigate
展開	sự triển khai	开展、发展	development, expansion
転がり込む	tự dưng đến	突然得到、突然来到	land (prize, etc.), come into
しかるべき	cần, nên	适当的	appropriate

2. 下線①〜⑧の語句・表現について、質問に答えてください。

① 「とりもなおさず」および「ほかなりません（ほかならない）」とはどのような意味か。また、これらの語句を用いて例文を作りなさい。

② 「過不足なく」とはどのような意味か。また、この語句を用いて例文を作りなさい。

③ 「バケツリレー」とはどのような意味か。

④ 「肩を並べる」とはどのような意味か。また、この語句を用いて例文を作りなさい。

⑤ 「科学者たちの興味を引くには至っていません」を別の表現で言い換えなさい。

⑥ 「至る」とはどのような意味か。また、この語句を用いて例文を作りなさい。

⑦ 「が、」および「ものの」の意味は何か。また、それぞれの語句を用いて例文を作りなさい。

Ⅱ 本文の内容について次の問いに答えてください。

1. この記事によると、導電性プラスチックの発見と開発は大きく2段階から成る。それぞれを簡単（各30字程度）にまとめなさい。

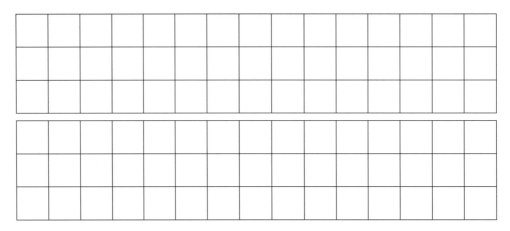

2. 導電性プラスチックの発見のきっかけは偶然起こった。そのきっかけは何か。

3. 次のA〜Cに適切な語句を入れて、文章を完成させなさい。
　　偶然の発見は、発明物語につきものの面白いエピソードであるが、その幸運を生かすには発見の（　A　）を正しく理解し、その（　B　）を究明し、そこからの（　C　）を考える能力、さらにそれを支える膨大で地道な実験が必要になる。

4. この記事から得られる教訓はあるか。あれば、簡単に述べなさい。

4. ロボットはどこまで人間に近づくか

ロボットとは、どんなもののことを言うのか

　ロボットとは、いったいどんなものをいうのでしょう。**自動的に動く機械や装置**といえばいいのかもしれませんが、①じつはロボットの定義は、はっきり決まっているわけではありません。もともとロボットという言葉は、1920年にチェコの劇作家カレル＝チャペックが書いた脚本『R・U・R』の中で初めて使われました。この話に登場するロボットは、人のような形をしていて、人間にない高い機能をもつ機械です。

　1940年代のアメリカのSF作家、アイザック＝アシモフは作品の中でロボット3原則を示しました。それは、

第1条　ロボットは人間に**危害**を加えてはならない。また、人間が危害を受けるのを**見過ごし**てはならない。

第2条　ロボットは人間にあたえられた命令に**従わ**なければならない。ただし、②あたえられた命令が第1条に反する場合は、この限りでない。

第3条　ロボットは、③第1条および第2条に反するおそれがないかぎり、自分を守らなければならない。

というものでした。④これは現在でも、ロボットを**開発する**ときのよりどころとされています。

　現在のロボットには2つの流れがあります。ロボットをいかに人間に近づけるかということを考えた「ヒューマノイド（人間型）ロボット」と、ロボットに人間にはできないことをさせる「非ヒューマノイドロボット」です。

　ヒューマノイドロボットには、ソニーのQRIO（キュリオ）やホンダのASIMO（アシモ）をはじめとして、さまざまなタイプが登場しています。非ヒューマノイドロボットの**代表格**は、**産業用**ロボットです。これは、人の手を借りず

自動でいろいろな**作業工程**を行う機械です。おもに自動車や**電子部品**を生産する工場で使われています。

これからのロボットはどうなるか

ロボットの**活躍する**場もどんどん広がっています。とくに、人間では危険な行為や、人間にできない**行動**が必要とされる**場面**はロボットの**出番**と考えられます。

たとえば、地震の多い日本では、**災害対策**ロボットが開発されています。震災後に倒れてしまった家の中などに進入していき、出られなくなった人を探し出すための、ヘビ型のレスキューロボットなどもあります。

病院で使われる**手術**ロボットは手術を**補助する**機械装置です。複雑で**微妙な**作業が必要なので、医師がカメラの**映像**を見ながらリモートコントロールします。**高齢者**などの**介護**を補助する介護ロボットも、今後の実用化を目ざして開発が進められています。

スポーツをするロボットもあります。ロボカップといって、ロボットによるサッカーの国際試合が毎年**開催**されています。

また、**実用的な**作業だけではなく、**娯楽**や教育などの分野でも活躍が期待され、⑤人間とともに暮らし、心をいやす存在として注目されています。たとえばペットロボットは、ほんもののペットは飼えないというお年寄りにも人気です。

私たちの生活の中でともに行動するロボットの開発はすでに進められています。2003 (平成15)年、福岡市が北九州市と共同で、**地域おこしの一環**として**通称**ロボット**特区の認定を申請**し、認められました。福岡市がロボット開発**拠点**になることを目ざし、道路など生活**空間**の中で実際にロボットを動かす試験が始まっています。

池上彰監修『12歳までに知っておきたい　世の中まるごとガイドブック［応用編］』小学館2007年3月
p.82より一部改変

I 漢字・語句・表現

1. 以下で漢字の読み方と重要語句の意味を確認してください。

4. ロボットはどこまで人間に近づくか

ロボットとは、どんなもののことを言うのか

　ロボットとは、いったいどんなものをいうのでしょう。自動的に動く機械や装置といえばいいのかもしれませんが、①じつはロボットの定義は、はっきり決まっているわけではありません。もともとロボットという言葉は、1920年にチェコの劇作家カレル＝チャペックが書いた脚本『Ｒ・Ｕ・Ｒ』の中で初めて使われました。この話に登場するロボットは、人のような形をしていて、人間にない高い機能をもつ機械です。

　1940年代のアメリカのSF作家、アイザック＝アシモフは作品の中でロボット3原則を示しました。それは、

　　第1条　ロボットは人間に危害を加えてはならない。また、人間が危害を受けるのを見過ごしてはならない。

　　第2条　ロボットは人間にあたえられた命令に従わなければならない。ただし、②あたえられた命令が第1条に反する場合は、この限りでない。

　　第3条　ロボットは、③第1条および第2条に反するおそれがないかぎり、自分を守らなければならない。

というものでした。④これは現在でも、ロボットを開発するときのよりどころとされています。

　現在のロボットには2つの流れがあります。ロボットをいかに人間に近づけるかということを考えた「ヒューマノイド（人間型）ロボット」と、ロボットに人間にはできないことをさせる「非ヒューマノイドロボット」です。

　ヒューマノイドロボットには、ソニーのQRIO（キュリオ）やホンダの

ASIMO（アシモ）をはじめとして、さまざまなタイプが登場しています。非ヒューマノイドロボットの代表格は、産業用ロボットです。これは、人の手を借りず自動でいろいろな作業工程を行う機械です。おもに自動車や電子部品を生産する工場で使われています。

これからのロボットはどうなるか

ロボットの活躍する場もどんどん広がっています。とくに、人間では危険な行為や、人間にできない行動が必要とされる場面はロボットの出番と考えられます。

たとえば、地震の多い日本では、災害対策ロボットが開発されています。震災後に倒れてしまった家の中などに進入していき、出られなくなった人を探し出すための、ヘビ型のレスキューロボットなどもあります。

病院で使われる手術ロボットは手術を補助する機械装置です。複雑で微妙な作業が必要なので、医師がカメラの映像を見ながらリモートコントロールします。高齢者などの介護を補助する介護ロボットも、今後の実用化を目ざして開発が進められています。

スポーツをするロボットもあります。ロボカップといって、ロボットによるサッカーの国際試合が毎年開催されています。

また、実用的な作業だけではなく、娯楽や教育などの分野でも活躍が期待され、⑤人間とともに暮らし、心をいやす存在として注目されています。たとえばペットロボットは、ほんもののペットは飼えないというお年寄りにも人気です。

私たちの生活の中でともに行動するロボットの開発はすでに進められています。2003（平成15）年、福岡市が北九州市と共同で、地域おこしの一環として通称ロボット特区の認定を申請し、認められました。福岡市がロボット開発拠点になることを目ざし、道路など生活空間の中で実際にロボットを動かす試験が始まっています。

日本語	Tiếng Việt	中文	English
じどうてき 自動的に	tự động	自動的	automatically
そう ち 装置	thiết bị	装置、设备	apparatus
てい ぎ 定義	định nghĩa	定义	definition
き がい 危害	tổn thương, thiệt hại	危害	injury, harm
み す 見過ごす	làm ngơ, không chú ý đến	忽视	overlook, fail to notice
したが 従う	phục tùng, vâng lời	服从	follow, obey
かいはつ 開発する	phát triển	开发	develop
だいひょうかく 代表格	đại diện, tư cách đại diện	有资格代表	(recognised) representative
さんぎょうよう 産業用	dùng cho công nghiệp	工业用途	for industrial use
さ ぎょうこうてい 作業工程	quy trình công việc	操作过程、 工作过程	operation process, work process
でん し ぶ ひん 電子部品	bộ phận điện tử, linh kiện điện tử	电子元件	electronic components
かつやく 活躍する	hoạt động tích cực	活跃	be active, take an active part in
こうどう 行動	hành động, hành vi	行动	action
ば めん 場面	hoàn cảnh	场面	scene, situation
で ばん 出番	phiên, lượt	出场、登场	turn, time (to do something), duty
さいがい 災害	thảm họa, tai họa	灾害	disaster
たいさく 対策	biện pháp, sự đối phó	对策	(counter)measure
しゅじゅつ 手術	phẫu thuật	手术	surgery, operation
ほ じょ 補助する	hỗ trợ	补助、辅助	assist, support
び みょう 微妙な	tinh tế, tinh vi	微妙	delicate, intricate, subtle
えいぞう 映像	hình ảnh	影像	video, image, picture, film
リモートコン トロールする	điều khiển từ xa	远距离操纵	remote control

日本語	Tiếng Việt	中文	English
こうれいしゃ 高齢者	người cao tuổi	老年人	the aged, the elderly, senior citizens
かい ご 介護	sự chăm sóc, sự điều dưỡng	护理、看护、照顾	(nursing) care
かいさい 開催する	tổ chức	召开、举办	hold, organize (meeting)
じつようてき 実用的な	thực tế, thực dụng	实用的、合乎实用	practical
ご らく 娯楽	giải trí, tiêu khiển	娱乐	entertainment, amusement
ち いき 地域おこし	sự hồi sinh khu vực	地方振兴	regional revitalization
いっかん 一環	một phần	一(个重要)部分	part
つうしょう 通称	tên thông dụng	俗称	popular name
とっ く　 とくべつく 特区 (特別区)	đặc khu	特区	a special zone
にんてい 認定	sự công nhận, sự chứng nhận	认定、认可	authorization, accreditation
しんせい 申請する	xin, thỉnh cầu	申请	apply
きょてん 拠点	cơ sở, trung tâm	据点	base, hub, foothold
くうかん 空間	không gian	空间	space

2. 下線①〜⑤の語句・表現について、質問に答えてください。

① この文において次の問いに答えなさい。

　ア 「わけではありません」はどのようなときに使われるか。また、この語句を用いて例文を作りなさい。

　イ 「わけ（訳）」にはいろいろな意味がある。a, b の各文で用いられている「訳」の意味を示しなさい。

　　a 「言うことの訳がわからない」

　　b 「これには深い訳がある」「どうした訳かきげんが悪い」

② 「この限りではない」とはどのような意味か。また、この語句を用いて例文を作りなさい。

③ 「おそれがない」とはどのような意味か。また、この語句を用いて例文を作りなさい。

④ 「よりどころ」とはどのような意味か。また、この語句を用いて例文を作りなさい。

⑤ 「心をいやす」とはどのような意味か。また、この語句を用いて例文を作りなさい。

Ⅱ 本文の内容について次の問いに答えてください。

1. ロボット3原則について、

ア 「原則」とはどのような意味か。

イ 誰がどのように示したか。

ウ この原則は現在ではどのように考えられているか。

2. ロボットが開発されてきた流れは2つあるといわれています。それぞれを説明しなさい。

3. ロボットが活躍する分野はこれからも広がっていくといわれています。どのようなロボットの開発が進むと思われるか。

5. 2014年度ノーベル物理学賞 ——青色LED発明

ノーベル物理学賞に赤崎[*]・天野・中村氏　青色LED発明

　スウェーデン王立科学アカデミーは7日、2014年のノーベル物理学賞を赤崎勇・名城大学教授（85）、天野浩・名古屋大学教授（54）、中村修二・米カリフォルニア大学教授（60）に授与すると発表した。少ない電力で明るく青色に光る**発光ダイオード（LED）**の発明と実用化に**貢献**した業績が認められた。**照明**やディスプレーなどに広く使われている。世界の人々の生活を変え、①新しい産業創出につながったことが高く評価された。

　日本のノーベル賞受賞は12年の**生理学**・医学賞の山中伸弥・京都大教授から2年ぶり。計22人となる。物理学賞は**素粒子研究**の08年の南部陽一郎（米国籍）、小林誠、益川敏英の3氏以来で計10人となった。日本の物理学の高い実力を示した。授賞理由は「明るくエネルギー消費の少ない白色光源を可能にした**高効率な**青色LEDの発明」で、「20世紀は**白熱灯**が照らし、21世紀はLEDが照らす」と説明した。

　LEDは1960年代に赤色が**開発された**。緑色も実現したが、青色は開発が遅れた。あらゆる色の光を作り出せる「光の3原色」がそろわず、「20世紀中の実現は不可能」とまでいわれていた。

　②その壁を破ったのが赤崎氏と天野氏だ。**品質**のよい青色LEDの材料を作るのが難しく、国内外の企業が取り組んでもうまくいかなかった。両氏は「**窒化ガリウム**」という材料を使い、明るい青色を放つのに成功した。③中村氏はこれらの**成果**を発展させ、安定して長期間光を出す青色LEDの材料開発に乗り出し、**素子を作製した**。**量産化**に道を開き、当時在籍していた日亜化学工業（徳島県阿南市）が93年に青色LEDを**製品化**した。

　赤崎氏は7日の記者会見で「半分サプライズで、こんな**名誉な**ことはない」と語った。中村氏は同日、大学構内で記者団に対し「ノーベル賞は基礎理論での受賞が多い。実用化で受賞できてうれしい」と語った。天野氏については「海

外出張中で、帰国後記者会見する」と名大側は説明した。

　日本の強みである材料技術がLEDの光の3原色をそろえることに貢献し、LEDによるフルカラー表示が可能になった。電気を直接光に変えるLEDはエネルギー損失が少ない。素子そのものが光るので電子機器の小型・軽量化に役立つ。薄くて省エネのディスプレーなどデジタル時代の幕開けにつながった。

　3原色を混ぜ、自然光に近い白色光も再現できるようになった。省エネ照明として家庭にも浸透し始めている。現在、産業社会で消費するエネルギーの20〜30％は白熱灯や蛍光灯などの照明が占めるといわれ、これらがLED照明に置き換われば、地球温暖化を防ぐ切り札のひとつになる。

　青色の光は波長が短く、デジタルデータの書き込みに使えば大容量化できる。中村氏は青色LEDの後に青色レーザーの基盤技術を開発した。ブルーレイ・ディスクのデータの書き込みに青色レーザーが使われているように、大容量の光ディスク実現につながった。

　授賞式は12月10日にストックホルムで開く。賞金800万クローナ（約1億2000万円）は3氏で分ける。

日本経済新聞　電子版　2014/10/8

日本の3氏に2014年度ノーベル物理学賞——青色LEDの開発で

光技術の革命： LEDは電圧を加えると発光する半導体素子で、電気エネルギーが直接光エネルギーに変換され、発熱などのロスが生じないことから、省エネルギーの発光体として注目されていた。発明は1962年で、当時ゼネラル・エレクトリック社の研究者だったニック・ホロニアックJr.氏によるもの。当初は赤色のみだった。後に西澤潤一・東北大学教授により、高輝度の赤色LED・緑色LEDが開発され、日本はLED研究の中心地の一つとなる。さらに黄緑色LEDも開発されたが、光の3原色（赤・緑・青）のうち残る青の開発は難航。適切な素材がなかなか絞り込めないのが原因だった。青色LEDの実用化で、すべての色の光をLEDで作り出すことが可能になり、工業製品としての応用

範囲が劇的に広がることになった。

基礎を作った名古屋の2人：赤崎勇氏は、1929年鹿児島県出身。京都大学理学部化学科卒業後、松下電器産業入社。同社東京研究所基礎研究室長、名古屋大学教授を歴任。青色発光ダイオードの材料となる窒化ガリウム（GaN）の結晶化などに成功した。天野浩氏は、1960年静岡県出身。名古屋大学工学部電子工学科卒業、同大学大学院博士課程中退。工学博士。名古屋大学助手、名城大学教授など歴任。赤崎教授の共同研究者。

怒りのノーベル賞受賞：中村修二氏は、1954年愛媛県出身。徳島大学工学部卒業、同大学大学院修士課程修了。工学博士。大学院修了後、徳島県の日亜化学工業に入社。同社で窒化ガリウム結晶の量産化に成功した。だが、後には日本企業の研究環境に失望し、カリフォルニア大学に移籍することになる。また退社後、日亜化学に対し、この製造法の特許権の個人への帰属の確認および会社への承継の際の対価支払いを求める裁判を起こし、④日本の企業慣習と「職務発明」の際の特許権個人帰属の問題に一石を投じることになった。中村氏は、受賞決定後の記者会見でも「怒りがすべてのモチベーション」と、日本企業と社会に対する不満をぶちまけていた。

日本のノーベル賞受賞者は22人に：今回の受賞決定で、湯川秀樹氏（1949年物理学賞）から連なる日本のノーベル賞受賞者（外国籍含む）は総計22人となった。内訳は物理学賞10人、化学賞7人、医学・生理学賞2人、文学賞2人、平和賞1人。

nippon.com 2014.10.08 https://www.nippon.com/ja/ より

＊編著者注釈　正しくは「赤﨑」

Ⅰ 漢字・語句・表現

1. 以下で漢字の読み方と重要語句の意味を確認してください。

5. 2014年度ノーベル物理学賞——青色LED発明

ノーベル物理学賞に赤崎*・天野・中村氏　青色LED発明

　スウェーデン王立科学アカデミーは7日、2014年のノーベル物理学賞を赤崎勇・名城大学教授（85）、天野浩・名古屋大学教授（54）、中村修二・米カリフォルニア大学教授（60）に授与すると発表した。少ない電力で明るく青色に光る発光ダイオード（LED）の発明と実用化に貢献した業績が認められた。照明やディスプレーなどに広く使われている。世界の人々の生活を変え、①新しい産業創出につながったことが高く評価された。

　日本のノーベル賞受賞は12年の生理学・医学賞の山中伸弥・京都大教授から2年ぶり。計22人となる。物理学賞は素粒子研究の08年の南部陽一郎（米国籍）、小林誠、益川敏英の3氏以来で計10人となった。日本の物理学の高い実力を示した。授賞理由は「明るくエネルギー消費の少ない白色光源を可能にした高効率な青色LEDの発明」で、「20世紀は白熱灯が照らし、21世紀はLEDが照らす」と説明した。

　LEDは1960年代に赤色が開発された。緑色も実現したが、青色は開発が遅れた。あらゆる色の光を作り出せる「光の3原色」がそろわず、「20世紀中の実現は不可能」とまでいわれていた。

　②その壁を破ったのが赤崎氏と天野氏だ。品質のよい青色LEDの材料を作るのが難しく、国内外の企業が取り組んでもうまくいかなかった。両氏は「窒化ガリウム」という材料を使い、明るい青色を放つのに成功した。③中村氏はこれらの成果を発展させ、安定して長期間光を出す青色LEDの材料開発に乗り出し、素子を作製した。量産化に道を開き、当時在籍し

ていた日亜化学工業（徳島県阿南市）が93年に青色LEDを製品化した。

　赤崎氏は7日の記者会見で「半分サプライズで、こんな名誉なことはない」と語った。中村氏は同日、大学構内で記者団に対し「ノーベル賞は基礎理論での受賞が多い。実用化で受賞できてうれしい」と語った。天野氏については「海外出張中で、帰国後記者会見する」と名大側は説明した。

　日本の強みである材料技術がLEDの光の3原色をそろえることに貢献し、LEDによるフルカラー表示が可能になった。電気を直接光に変えるLEDはエネルギー損失が少ない。素子そのものが光るので電子機器の小型・軽量化に役立つ。薄くて省エネのディスプレーなどデジタル時代の幕開けにつながった。

　3原色を混ぜ、自然光に近い白色光も再現できるようになった。省エネ照明として家庭にも浸透し始めている。現在、産業社会で消費するエネルギーの20〜30%は白熱灯や蛍光灯などの照明が占めるといわれ、これらがLED照明に置き換われば、地球温暖化を防ぐ切り札のひとつになる。

　青色の光は波長が短く、デジタルデータの書き込みに使えば大容量化できる。中村氏は青色LEDの後に青色レーザーの基盤技術を開発した。ブルーレイ・ディスクのデータの書き込みに青色レーザーが使われているように、大容量の光ディスク実現につながった。

　授賞式は12月10日にストックホルムで開く。賞金800万クローナ（約1億2000万円）は3氏で分ける。

日本の3氏に2014年度ノーベル物理学賞──青色LEDの開発で

光技術の革命：LEDは電圧を加えると発光する半導体素子で、電気エネルギーが直接光エネルギーに変換され、発熱などのロスが生じないことから、省エネルギーの発光体として注目されていた。発明は1962年で、当時ゼネラル・エレクトリック社の研究者だったニック・ホロニアックJr.氏によるもの。当初は赤色のみだった。後に西澤潤一・東北大学教授により、

高輝度の赤色LED・緑色LEDが開発され、日本はLED研究の中心地の一つとなる。さらに黄緑色LEDも開発されたが、光の3原色（赤・緑・青）のうち残る青の開発は難航。適切な素材がなかなか絞り込めないのが原因だった。青色LEDの実用化で、すべての色の光をLEDで作り出すことが可能になり、工業製品としての応用範囲が劇的に広がることになった。

基礎を作った名古屋の2人：赤崎勇氏は、1929年鹿児島県出身。京都大学理学部化学科卒業後、松下電器産業入社。同社東京研究所基礎研究室長、名古屋大学教授を歴任。青色発光ダイオードの材料となる窒化ガリウム（GaN）の結晶化などに成功した。天野浩氏は、1960年静岡県出身。名古屋大学工学部電子工学科卒業、同大学大学院博士課程中退。工学博士。名古屋大学助手、名城大学教授など歴任。赤崎教授の共同研究者。

怒りのノーベル賞受賞：中村修二氏は、1954年愛媛県出身。徳島大学工学部卒業、同大学大学院修士課程修了。工学博士。大学院修了後、徳島県の日亜化学工業に入社。同社で窒化ガリウム結晶の量産化に成功した。だが、後には日本企業の研究環境に失望し、カリフォルニア大学に移籍することになる。また退社後、日亜化学に対し、この製造法の特許権の個人への帰属の確認および会社への承継の際の対価支払いを求める裁判を起こし、④日本の企業慣習と「職務発明」の際の特許権個人帰属の問題に一石を投じることになった。中村氏は、受賞決定後の記者会見でも「怒りがすべてのモチベーション」と、日本企業と社会に対する不満をぶちまけていた。

日本のノーベル賞受賞者は22人に：今回の受賞決定で、湯川秀樹氏（1949年物理学賞）から連なる日本のノーベル賞受賞者（外国籍含む）は総計22人となった。内訳は物理学賞10人、化学賞7人、医学・生理学賞2人、文学賞2人、平和賞1人。

＊編著者注釈　正しくは「赤﨑」

重要語句
<ruby>重要語句<rt>じゅうようごく</rt></ruby>

日本語	Tiếng Việt	中文	English
発明 <small>はつめい</small>	phát minh	发明	invention
発光ダイオード <small>はっこう</small>	điôt phát quang	发光二极管	light-emitting diode
貢献する <small>こうけん</small>	đóng góp	贡献	contribute
業績 <small>ぎょうせき</small>	thành tựu	业绩、成就	achievement
照明 <small>しょうめい</small>	chiếu sáng	照明	illumination
ディスプレー	hiển thị	屏幕、显示器	display
産業創出 <small>さんぎょうそうしゅつ</small>	tạo ngành công nghiệp mới	产业创新	creation of new industries
高く評価する <small>たか ひょうか</small>	đánh giá cao	高度评价	highly appreciate
生理学 <small>せいりがく</small>	sinh lý học	生理学	physiology
素粒子研究 <small>そりゅうしけんきゅう</small>	nghiên cứu hạt cơ bản	(基本)粒子研究、源质点研究	particle research
高効率な <small>こうこうりつ</small>	hiệu suất cao	高效的	high efficiency
白熱灯 <small>はくねつとう</small>	đèn nung sáng, đèn sợi đốt	白炽灯	incandescent lighting
開発する <small>かいはつ</small>	phát triển	开发	develop
品質 <small>ひんしつ</small>	chất lượng	质量	quality
窒化ガリウム <small>ちっか</small>	gali nitrua	氮化镓	gallium nitride
成果 <small>せいか</small>	thành quả	成果、结果、成就	achievements
素子 <small>そし</small>	nguyên tố, phần tử	单元、元件	element
量産化 <small>りょうさんか</small>	sản xuất hàng loạt	批量生产	mass production
製品化する <small>せいひんか</small>	thương phẩm hóa	产品化	commercialize
名誉な <small>めいよ</small>	danh dự, vinh dự	名誉	honorable
基礎理論 <small>きそりろん</small>	lý thuyết cơ bản	基础理论	basic theory
表示 <small>ひょうじ</small>	sự hiển thị	表示、显示	display, indication
損失 <small>そんしつ</small>	tổn hao	损失	loss
軽量化 <small>けいりょうか</small>	giảm khối lượng	轻量化	reduce weight of

日本語	Tiếng Việt	中文	English
省エネ （省エネルギー）	tiết kiệm năng lượng	节能	energy-saving
幕開け	mở màn	开幕、开始	opening, inauguration
再現する	tái hiện, mô phỏng	再现	reproduce, recreate
浸透する	thâm nhập	渗透	penetrate, seep into
置き換わる	được thay (bằng)	代替、接替	replace
切り札	con át chủ bài	最终手段、绝招	trump card, ace in the hole
波長	bước sóng	波长	wavelength
書き込み	sự ghi chép	写入、记入	writing
大容量化	tăng dung lượng	大容量化	enable capacity expansion
基盤技術	công nghệ cơ bản	基础技术	basic technology
電圧	điện áp	电压	voltage
発光する	phát quang	发光	emit light
半導体	chất bán dẫn	半导体	semiconductor
変換する	chuyển đổi	转换、变换	convert
発熱	sinh nhiệt	发热	generation of heat
ロス	tổn thất	损失	loss
発光体	vật thể phát sáng	发光体	luminous body
高輝度	độ sáng cao	高亮度	high luminance, high brightness
難航する	gặp khó khăn	难以进展、 迟迟不进	face difficulties, face hard going
素材	nguyên vật liệu	素材、原材料	(raw) materials
劇的に	một cách ấn tượng	戏剧性地	dramatically
歴任する	liên tiếp giữ nhiều chức vụ	历任	successively hold various posts
結晶化	sự kết tinh	结晶化	crystallization
共同研究者	người cùng nghiên cứu	共同研究者	research colleague, research collaborator

日本語	Tiếng Việt	中文	English
失望する	thất vọng	失望	be disappointed
移籍する	chuyển biên chế	转籍	transfer (transfer the register of)
退社後	sau khi nghỉ việc	离职以后	after leaving the company
特許権	bằng sáng chế	特许权	patent, patent right
帰属	sự thuộc về	归属	attribution
承継	kế thừa	继承、承袭	transfer, succession (of rights)
対価	sự bồi hoàn, sự đền bù	代价、等价报酬	a consideration, payment
慣習	tập quán	习俗、传统模式	custom
職務発明	phát minh của nhân viên	职务发明	employee invention
モチベーション	động lực	动力	motivation
不満	sự bất mãn	不满	dissatisfaction
ぶちまける	trút bầu tâm sự	大发牢骚	vent, give rein to
～から連なる	kể từ, tính từ	继续、连续	follow on from
内訳	nội dung chi tiết	详细内容	breakdown, itemization

2. 下線①～④の語句・表現について、質問に答えてください。

①　例えばどのような産業創出があるか。

②　「壁を破る」とはどういう意味か。またこの語句を用いた例文を作りなさい。

③　「乗り出す」とはどういう意味か。またこの語句を用いた例文を作りなさい。

④　「一石を投じる」とはどういう意味か。またこの語句を用いた例文を作りなさい。

Ⅱ　本文の内容について次の問いに答えてください。

1．LEDとは何か。

2．青色LEDの発明が高く評価される理由は何か。

3．青色LED の開発においてノーベル賞を受賞した3人はそれぞれどのような働きを成しとげたか。

4．今回の発明に至るまでにこの分野で貢献した主たる研究者を挙げなさい。またそれらの研究者が成しとげた働きは何か。

5．青色LEDの開発が遅れたのはなぜか。その原因を文中のことばで答えなさい。

6．今回の発明された青色LEDは単独ではどのような技術の開発につながったか。

6. リチウムイオン電池の発明

ノーベル化学賞に旭化成・吉野彰氏ら　リチウムイオン電池開発

　スウェーデン王立科学アカデミーは9日、2019年のノーベル化学賞を、旭化成の吉野彰名誉フェロー（71）、米テキサス大学のジョン・グッドイナフ教授（97）、米ニューヨーク州立大学のマイケル・スタンリー・ウィッティンガム卓越教授（77）に授与すると発表した。スマートフォンや電気自動車（EV）に搭載するリチウムイオン電池の開発で主導的な役割を果たした。世界の人々の生活を変え、ITをはじめ産業の発展に貢献した業績が評価された。

　日本のノーベル賞受賞は18年の京都大学の本庶佑特別教授に続き27人目（米国籍を含む）。化学賞の受賞は10年の根岸英一氏、鈴木章氏に続き計8人となった。企業所属の研究者では02年の田中耕一氏以来となる。

　授賞理由は「リチウムイオン電池の開発」。小型・軽量で高出力の蓄電池が実現したことで、スマホなどIT機器やEVの普及を可能にし、太陽光発電など再生可能エネルギーの導入拡大にもつながると期待している。

　同日、旭化成で記者会見した吉野氏は「リチウムイオン電池が受賞対象になったことをうれしく思う。いろいろな分野の若い研究者ががんばっている。そういう人の励みになると思っている」と語った。

　ウィッティンガム氏がリチウムイオンを使った蓄電池の基本原理を突き止めた。これを踏まえて、グッドイナフ氏は英オックスフォード大学在籍時代の1970年代後半にリチウムイオン電池の正極の開発に取り組んだ。コバルト酸リチウムと呼ぶ材料が優れた特性を備えることを見いだし、80年に発表した。

　この成果を生かし、リチウムイオン電池の「原型」を作ったのが吉野氏だ。グッドイナフ氏らが開発した正極の対になる負極として、炭素材料を採用することを考案。正極と負極を隔ててショートするのを防ぐセパレーターなどを含め、電池の基本構造を確立して85年に特許を出願した。

　91年にソニーが世界に先駆けて商品化した。①ノート型パソコンや携帯電

話などに採用され、同社の看板として一時代を築いた。

　リチウムイオン電池は世界中の人の生活を大きく変えた。とくに携帯電話はインフラの整っていない途上国にも普及し、インターネットの発展とあいまって世界の通信環境を変えた。

　②自動車業界も一変させた。ハイブリッド車だけでなくEVが登場。国際的な環境対応の流れもあり、需要が伸びている。パナソニックが世界大手と位置づけられるほか、旭化成や東レなど材料分野でも日本企業が重要な役目を担っている。

　電池の性能向上に伴い、発電量が安定しにくい太陽光発電などの電気を蓄電しておき、需要に合わせて利用できるようになった。再生可能エネルギーの普及を促す役割が期待されている。

　③市場投入から四半世紀が経過したいまも総合的な性能でリチウムイオン電池を上回る電池は登場しておらず、需要は伸びている。調査会社の富士経済（東京・中央）の予測では、22年のリチウムイオン電池の世界市場は17年比2.3倍の7兆3900億円にも達するという。

　吉野氏は同日、日本経済新聞のインタビューに「無駄なことをいっぱいしないと新しいことは生まれてこない。自分の好奇心に基づいて新しい現象を見つけることを一生懸命やることが必要」と強調した。

　授賞式は12月10日にストックホルムで開く。賞金は900万スウェーデンクローナ（約9700万円）で、3氏が分け合う。

日本経済新聞　電子版　2019/10/9

リチウムイオン電池とは　充電で繰り返し使える蓄電池

　充電して繰り返して使える蓄電池。電極の間をリチウムイオンが行き来することで充電と放電を繰り返す。正極にコバルト酸リチウム、負極に炭素を主に使う。スマートフォンやノートパソコンなどの電子機器、太陽光発電した電気などの蓄電、ハイブリッド自動車や電気自動車などに広く普及している。

リチウムは軽い元素で、電解液の中を速く移動して電極をスムーズに出入りする。このため、従来のニカド電池やニッケル水素と比べて、高容量で大電流に耐えられる電池に育った。高容量、高出力を目指した改良が進む。

日本経済新聞　電子版　2019/10/9

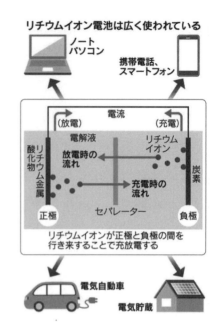

リチウムイオン電池は広く使われている

ノートパソコン

携帯電話、スマートフォン

電流

（放電）　　　　　　　　（充電）

電解液　　　　　　　　　リチウムイオン

酸化物　リチウム金属

放電時の流れ

充電時の流れ

炭素

正極　　　　セパレーター　　　　負極

リチウムイオンが正極と負極の間を行き来することで充放電する

電気自動車

電気貯蔵

Ⅰ 漢字・語句・表現

1. 以下で漢字の読み方と重要語句の意味を確認してください。

6. リチウムイオン電池の発明

ノーベル化学賞に旭化成・吉野彰氏ら　リチウムイオン電池開発

　スウェーデン王立科学アカデミーは9日、2019年のノーベル化学賞を、旭化成の吉野彰名誉フェロー（71）、米テキサス大学のジョン・グッドイナフ教授（97）、米ニューヨーク州立大学のマイケル・スタンリー・ウィッティンガム卓越教授（77）に授与すると発表した。スマートフォンや電気自動車（EV）に搭載するリチウムイオン電池の開発で主導的な役割を果たした。世界の人々の生活を変え、ITをはじめ産業の発展に貢献した業績が評価された。

　日本のノーベル賞受賞は18年の京都大学の本庶佑特別教授に続き27人目（米国籍を含む）。化学賞の受賞は10年の根岸英一氏、鈴木章氏に続き計8人となった。企業所属の研究者では02年の田中耕一氏以来となる。

　授賞理由は「リチウムイオン電池の開発」。小型・軽量で高出力の蓄電池が実現したことで、スマホなどIT機器やEVの普及を可能にし、太陽光発電など再生可能エネルギーの導入拡大にもつながると期待している。

　同日、旭化成で記者会見した吉野氏は「リチウムイオン電池が受賞対象になったことをうれしく思う。いろいろな分野の若い研究者がんばっている。そういう人の励みになると思っている」と語った。

　ウィッティンガム氏がリチウムイオンを使った蓄電池の基本原理を突き止めた。これを踏まえて、グッドイナフ氏は英オックスフォード大学在籍時代の1970年代後半にリチウムイオン電池の正極の開発に取り組んだ。コバルト酸リチウムと呼ぶ材料が優れた特性を備えることを見いだし、80年に発表した。

この成果を生かし、リチウムイオン電池の「原型」を作ったのが吉野氏だ。グッドイナフ氏らが開発した正極の対になる負極として、炭素材料を採用することを考案。正極と負極を隔ててショートするのを防ぐセパレーターなどを含め、電池の基本構造を確立して85年に特許を出願した。

　91年にソニーが世界に先駆けて商品化した。①ノート型パソコンや携帯電話などに採用され、同社の看板として一時代を築いた。

　リチウムイオン電池は世界中の人の生活を大きく変えた。とくに携帯電話はインフラの整っていない途上国にも普及し、インターネットの発展とあいまって世界の通信環境を変えた。

　②自動車業界も一変させた。ハイブリッド車だけでなくEVが登場。国際的な環境対応の流れもあり、需要が伸びている。パナソニックが世界大手と位置づけられるほか、旭化成や東レなど材料分野でも日本企業が重要な役目を担っている。

　電池の性能向上に伴い、発電量が安定しにくい太陽光発電などの電気を蓄電しておき、需要に合わせて利用できるようになった。再生可能エネルギーの普及を促す役割が期待されている。

　③市場投入から四半世紀が経過したいまも総合的な性能でリチウムイオン電池を上回る電池は登場しておらず、需要は伸びている。調査会社の富士経済（東京・中央）の予測では、22年のリチウムイオン電池の世界市場は17年比2.3倍の7兆3900億円にも達するという。

　吉野氏は同日、日本経済新聞のインタビューに「無駄なことをいっぱいしないと新しいことは生まれてこない。自分の好奇心に基づいて新しい現象を見つけることを一生懸命やることが必要」と強調した。

　授賞式は12月10日にストックホルムで開く。賞金は900万スウェーデンクローナ（約9700万円）で、3氏が分け合う。

リチウムイオン電池とは　充電で繰り返し使える蓄電池

　充電して繰り返して使える蓄電池。電極の間をリチウムイオンが行き来することで充電と放電を繰り返す。正極にコバルト酸リチウム、負極に炭素を主に使う。スマートフォンやノートパソコンなどの電子機器、太陽光発電した電気などの蓄電、ハイブリッド自動車や電気自動車などに広く普及している。

　リチウムは軽い元素で、電解液の中を速く移動して電極をスムーズに出入りする。このため、従来のニカド電池やニッケル水素と比べて、高容量で大電流に耐えられる電池に育った。高容量、高出力を目指した改良が進む。

重要語句

日本語	Tiếng Việt	中文	English
開発する	phát triển	开发	develop
搭載する	lắp đặt	装有	mount, install
主導的な	mang tính dẫn đầu	主导性的	leading
貢献する	đóng góp	贡献	contribute
業績	thành tích, thành tựu	成绩、业绩	achievement
所属	thuộc	所属	affiliation
高出力	năng suất đầu ra cao	高输出量	high power, high output
蓄電池	pin lưu trữ	蓄电池	storage battery
普及	sự phổ biến	普及	spread, becoming common
太陽光発電	điện năng lượng mặt trời	太阳能发电	solar power
再生可能エネルギー	năng lượng tái tạo	可再生能源	renewable energy, recyclable energy
導入	sự mở đầu, sự giới thiệu	导入、引进	introduction
励み	sự khích lệ	鼓励	encouragement
基本原理	nguyên lý cơ bản	基本原理	basic principle
突き止める	xác định	彻底查明、找到	determine, ascertain
踏まえる	dựa trên	立足于	based on
正極	cực dương	正极	positive electrode
特性	đặc tính	特性	characteristics, properties
成果	thành quả, kết quả	成果、结果、成就	achievement, outcome
負極	cực âm	负极	negative electrode
炭素	cacbon	碳	carbon
考案する	nghĩ ra, sáng chế	设计	plan, (invent, devise)
隔てる	ngăn cách	隔开	separate, isolate
ショートする	đoản mạch	短路	short-circuit (verb)
確立する	thiết lập	确立	establish

日本語	Tiếng Việt	中文	English
特許(とっきょ)	bằng sáng chế	特许、专利权	patent
出願(しゅつがん)する	xin	报名	apply for
先駆(さきが)ける	đi trước, dẫn đầu	率先、打先锋	be a pioneer in doing something
看板(かんばん)	biểu tượng	招牌	badge of honor, symbol, hallmark
インフラ	cấu trúc hạ tầng	基础设施	infrastructure
～とあいまって	đi cùng với ～	互相影响	together with, in tandem with
ハイブリッド車(しゃ)	xe lai điện	混合动力汽车	hybrid vehicle
需要(じゅよう)	nhu cầu	需要	demand
役目(やくめ)を担(にな)う	gánh vác vai trò	承担作用	assume a role of
性能(せいのう)	hiệu suất	性能	performance
向上(こうじょう)	nâng cao	提高、向上	improvement
蓄電(ちくでん)する	tích trữ điện	蓄电	store electricity
促(うなが)す	thúc đẩy	催促、促使	urge, promote
市場投入(しじょうとうにゅう)	đưa ra thị trường	进入市场	market introduction
四半世紀(しはんせいき)	¼ thế kỷ	25年、四分之一世纪	quarter of century
総合的(そうごうてき)な	có tính tổng hợp, toàn diện	综合性	overall, comprehensive
上回(うわまわ)る	vượt qua	越出、超过	exceed, surpass
好奇心(こうきしん)	sự tò mò	好奇心	curiosity
充電(じゅうでん)	sạc	充电	charge
繰(く)り返(かえ)す	lặp lại	反复、重复	repeat
放電(ほうでん)	sự phóng điện	放电	electric discharge
元素(げんそ)	nguyên tố	元素	element
電解液(でんかいえき)	dung dịch điện giải	电解液	electrolyte
高容量(こうようりょう)	dung lượng cao	高容量	high capacity
改良(かいりょう)	cải tiến	改良	improvement

2. 下線①〜④の語句・表現について、質問に答えてください。

① 「一時代を築く」とはどのような意味か、またこの語句を用いて例文を作りなさい。

② この文で、「一変させた」とはどのような意味か、またこの文の主語は何か。

③ この文で「市場投入から四半世紀が経過した」とはどのような意味か。

Ⅱ 本文の内容について次の問いに答えてください。

1. リチウムイオン電池の開発において、今回ノーベル賞を受賞した3人の研究者が果たした役割を簡単に述べなさい。

2. 現在、どのような分野でリチウムイオン電池が普及しているか。

3. どのような点でリチウムイオン電池は他の電池と比べて優れているか。また、なぜ、リチウムイオン電池はそのような特性を有しているか。

4. リチウムイオン電池が出現する前にはどのような種類の小型充電電池があったか。

7. Googleの「量子超越*」AIしのぐ技術革新の衝撃

　新しいデジタル社会の扉が開かれようとしている。米グーグルが23日、開発中のマシンで「量子超越」を達成したと発表した。①コンピューター科学の大きなマイルストーンといえる。②人工知能（AI）をしのぐ技術革新で、③将来、想像もつかないインパクトをわたしたちに与えるだろう。

　音声やテキスト、画像、それに遺伝子だって、どんな情報でも「0」「1」に数値化してコンピューターで計算、処理するのが今のデジタル社会だ。かつてのスーパーコンピューターの性能がスマートフォンで実現できるようになったように、この半世紀、コンピューターは目覚ましい進化を遂げた。半導体の性能が1年半で2倍になるというムーアの法則のおかげだ。が、基本原理はコンピューターの父とされるアラン・チューリングの発案以来、変わってこなかった。

　④グーグルが開発する量子コンピューターは、量子力学と呼ぶ、天才科学者のアインシュタインすらをも悩ませた不思議な物理の力を利用する。原子や電子といった小さな世界でのみ起こる現象で、光の粒に載せた情報を一瞬にして地球の裏側に届けたり、暗号が盗み見された瞬間に情報を消し去ったりすることができる。コンピューターに応用すれば「0」か「1」でなく、「0であり、かつ1でもある」と何とも理解しがたい状態ができて、一気に計算してしまう。

　グーグルによると今回、53個からなる基本素子「量子ビット」を実現、スパコンをどんなに発展させても難しいタスク（課題）をこなし、量子超越を立証したという。3年半前、深層学習（ディープラーニング）を使ったAIが囲碁の勝負で最強のプロ棋士を圧倒、世界を驚かせた。以降、AIは急速に進化・普及し、産業や金融の姿だけでなく、教育や雇用、政治のあり方までをも変えつつある。

　AIがソフトウエアの革命とすれば今回の量子超越はハードウエアの革命にあたるだろう。社会にあふれるビッグデータをAIが使いこなし未来を「予測」するには、今の計算力では追いつかない。データセンターの巨大化や、それに

伴うエネルギー消費量の爆発はそのあらわれだ。**既存の**コンピューターを「古典コンピューター」と呼んでしまうほどの計算力をもつ量子コンピューターが実現すれば、AIとの**連携**による**ディスラプション**（創造的破壊）の**威力**はすさまじい。もちろんすぐに実用化するわけではない。グーグルの「量子超越の実現」は有用性のないタスクをこなしただけ。コンピューター界の**盟主**で量子コンピューターを競う米IBMは、グーグルの発表は**大げさ**すぎると批判する。

　量子ビットの状態は**瞬時に**壊れてしまう。エラーも発生しやすい。どう安定させて誤りを**補正して**いくか。量子コンピューターの実現には超えなければならない技術の課題がたくさんある。⑤うまくいっても20〜30年はかかるだろう。また、計算の対象に向き不向きがあり、⑥あらゆる**用途で**スパコンを**上回る**わけでもない。パソコンやスマホが将来、量子コンピューターに**置き換わる**こともなさそうだ。それでも、不思議な量子の世界を**制御して**、⑦ほんとうにできるかどうかわからなかった量子コンピューターに技術的な道筋をつけた**意義**はとても大きい。

　ここ数年のAIを巡るテクノロジー競争と同じように、今後、米中が量子コンピューターの技術開発に**アクセルを踏む**のは間違いない。米国は国家戦略を**策定**、グーグルやIBMのほかベンチャーなどでも研究開発が進む。中国でもアリババ集団や華為技術（ファーウェイ）が研究に取り組んでいるとされ、中国科学院などと連携しているようだ。実は日本でもNTTなどの企業を中心に2000年ごろまで量子研究が盛んで世界をリードしてきた。今回の1つ前のマイルストーンといえる「1量子ビット」を初めて作ったのは当時、NECの研究者だった中村泰信東大教授だ。大きく**出遅れた**AI競争に比べると、⑧量子研究では日本が戦えるテクノロジーの素地はまだ残っている。

日本経済新聞　電子版　2019/10/24

＊編著者注釈　量子超越とは量子コンピューターが従来型のコンピューターでは実現不可能な計算能力を備えていることを示す。

I 漢字・語句・表現

1. 以下で漢字の読み方と重要語句の意味を確認してください。

7. Googleの「量子超越*」 AIしのぐ技術革新の衝撃

　新しいデジタル社会の扉が開かれようとしている。米グーグルが23日、開発中のマシンで「量子超越」を達成したと発表した。①コンピューター科学の大きなマイルストーンといえる。②人工知能（AI）をしのぐ技術革新で、③将来、想像もつかないインパクトをわたしたちに与えるだろう。

　音声やテキスト、画像、それに遺伝子だって、どんな情報でも「0」「1」に数値化してコンピューターで計算、処理するのが今のデジタル社会だ。かつてのスーパーコンピューターの性能がスマートフォンで実現できるようになったように、この半世紀、コンピューターは目覚ましい進化を遂げた。半導体の性能が1年半で2倍になるというムーアの法則のおかげだ。が、基本原理はコンピューターの父とされるアラン・チューリングの発案以来、変わってこなかった。

　④グーグルが開発する量子コンピューターは、量子力学と呼ぶ、天才科学者のアインシュタインすらをも悩ませた不思議な物理の力を利用する。原子や電子といった小さな世界でのみ起こる現象で、光の粒に載せた情報を一瞬にして地球の裏側に届けたり、暗号が盗み見された瞬間に情報を消し去ったりすることができる。コンピューターに応用すれば「0」か「1」でなく、「0であり、かつ1でもある」と何とも理解しがたい状態ができて、一気に計算してしまう。

　グーグルによると今回、53個からなる基本素子「量子ビット」を実現、スパコンをどんなに発展させても難しいタスク（課題）をこなし、量子超越を立証したという。3年半前、深層学習（ディープラーニング）を使ったAIが囲碁の勝負で最強のプロ棋士を圧倒、世界を驚かせた。以降、AI

は急速に進化・普及し、産業や金融の姿だけでなく、教育や雇用、政治のあり方までをも変えつつある。

　AIがソフトウエアの革命とすれば今回の量子超越はハードウエアの革命にあたるだろう。社会にあふれるビッグデータをAIが使いこなし未来を「予測」するには、今の計算力では追いつかない。データセンターの巨大化や、それに伴うエネルギー消費量の爆発はそのあらわれだ。既存のコンピューターを「古典コンピューター」と呼んでしまうほどの計算力をもつ量子コンピューターが実現すれば、AIとの連携によるディスラプション（創造的破壊）の威力はすさまじい。もちろんすぐに実用化するわけではない。グーグルの「量子超越の実現」は有用性のないタスクをこなしただけ。コンピューター界の盟主で量子コンピューターを競う米IBMは、グーグルの発表は大げさすぎると批判する。

　量子ビットの状態は瞬時に壊れてしまう。エラーも発生しやすい。どう安定させて誤りを補正していくか。量子コンピューターの実現には超えなければならない技術の課題がたくさんある。⑤うまくいっても20〜30年はかかるだろう。また、計算の対象に向き不向きがあり、⑥あらゆる用途でスパコンを上回るわけでもない。パソコンやスマホが将来、量子コンピューターに置き換わることもなさそうだ。それでも、不思議な量子の世界を制御して、⑦ほんとうにできるかどうかわからなかった量子コンピューターに技術的な道筋をつけた意義はとても大きい。

　ここ数年のAIを巡るテクノロジー競争と同じように、今後、米中が量子コンピューターの技術開発にアクセルを踏むのは間違いない。米国は国家戦略を策定、グーグルやIBMのほかベンチャーなどでも研究開発が進む。中国でもアリババ集団や華為技術（ファーウェイ）が研究に取り組んでいるとされ、中国科学院などと連携しているようだ。実は日本でもNTTなどの企業を中心に2000年ごろまで量子研究が盛んで世界をリードしてきた。今回の1つ前のマイルストーンといえる「1量子ビット」を初めて作った

のは当時、NECの研究者だった中村泰信東大教授だ。大きく**出遅れた**AI競争に比べると、⑧量子研究では日本が戦えるテクノロジーの素地はまだ残っている。

＊編著者注釈　量子超越とは量子コンピューターが従来型のコンピューターでは実現不可能な計算能力を備えていることを示す。

日本語	Tiếng Việt	中文	English
<ruby>量子超越<rt>りょう し ちょうえつ</rt></ruby>	ưu thế lượng tử	量子超越	quantum supremacy
<ruby>技術革新<rt>ぎ じゅつかくしん</rt></ruby>	đổi mới công nghệ	技术革新	technological innovation
<ruby>衝撃<rt>しょうげき</rt></ruby>	cú sốc, sự chấn động	冲击	shock, impact
<ruby>開発中<rt>かいはつちゅう</rt></ruby>	đang được phát triển	开发中	in development
<ruby>達成する<rt>たっせい</rt></ruby>	đạt được	达到、完成	achieve
<ruby>遺伝子<rt>い でん し</rt></ruby>	gien	基因、遗传基因	gene
<ruby>数値化する<rt>すう ち か</rt></ruby>	số hóa	数字化、数据化	digitize
<ruby>性能<rt>せいのう</rt></ruby>	tính năng	性能	performance
<ruby>目覚ましい<rt>め ざ</rt></ruby>	đáng chú ý, rõ rệt	惊人的	remarkable, striking
<ruby>進化を遂げる<rt>しん か と</rt></ruby>	đạt được tiến hóa	实现进化	bring about evolution
<ruby>半導体<rt>はんどうたい</rt></ruby>	chất bán dẫn	半导体	semiconductor
<ruby>基本原理<rt>き ほんげん り</rt></ruby>	nguyên tắc cơ bản	基本原理	basic principle
<ruby>量子<rt>りょう し</rt></ruby>コンピューター	máy tính lượng tử	量子计算机	quantum computer
<ruby>量子力学<rt>りょう し りきがく</rt></ruby>	cơ học lượng tử	量子力学	quantum mechanics
<ruby>原子<rt>げん し</rt></ruby>	nguyên tử	原子	atom
<ruby>電子<rt>でん し</rt></ruby>	điện tử, electron	电子	electron
<ruby>一気に<rt>いっ き</rt></ruby>	trong một lần	一口气、一下子	instantly, straightaway, immediately
<ruby>素子<rt>そ し</rt></ruby>	nguyên tố, phần tử	单元、元件	element
<ruby>量子<rt>りょう し</rt></ruby>ビット	bit lượng tử	量子比特	quantum bit
スパコン	siêu máy tính	超级电脑	supercomputer
<ruby>立証する<rt>りっしょう</rt></ruby>	chứng minh	证实、证明	prove, demonstrate
<ruby>深層学習<rt>しんそうがくしゅう</rt></ruby>（ディープラーニング）	học sâu	深层学习	deep learning
<ruby>圧倒する<rt>あっとう</rt></ruby>	áp đảo	压倒、超过	overwhelm

日本語	Tiếng Việt	中文	English
かくめい 革命	cách mạng	革命	revolution
きそん(きぞん) 既存の	đã tồn tại	既存	existing
れんけい 連携	hợp tác, cộng tác	协作、联合	cooperation, partnership
ディスラプション そうぞうてきはかい (創造的破壊)	sự phá vỡ mang tính sáng tạo	创造性破坏	(creative) disruption
いりょく 威力	sức mạnh	威力	power
すさまじい	ghê gớm, to lớn	可怕、惊人的	tremendous, terrific, terrible
めいしゅ 盟主	bá chủ, người đứng đầu	盟主	leader
おお 大げさな	phóng đại	夸大的、夸张的	exaggerated
しゅんじ 瞬時に	ngay lập tức	转眼、瞬时、 转瞬间	instantly
ほせい 補正する	điều chỉnh, sửa lỗi	订正、矫正	correct, rectify
ようと 用途	công dụng	用途	use
うわまわ 上回る	vượt qua, trội hơn	越出、超过	exceed
お か 置き換わる	được thay (bằng)	替换、置换	replace
せいぎょ 制御する	kiểm soát	控制	control
いぎ 意義	ý nghĩa, tầm quan trọng	意义	significance, meaning
めぐ 〜を巡る	xoay quanh 〜	围绕	surrounding, concerning
ふ アクセルを踏む	tăng tốc	开始加速	step on the accelerator
さくてい 策定する	xác lập (sau khi cân nhắc, điều chỉnh)	制定	formulate, establish
で おく 出遅れる	xuất phát muộn	出发晚了	get a late start in, be slow in

2. 下線①〜⑥の語句・表現について、質問に答えてください。

① この文で、「マイルストーン」とはどのような意味か。

② この文で「しのぐ」とはどのような意味か。また、「しのぐ」には別の意味もある。どのような意味か。それぞれの例文を作りなさい。

③ この文で、「インパクト」とはどのような意味か。

④ この文で「量子力学と呼ぶ」はどの語句を修飾するか。また「アインシュタインすらをも」の「すら」を他の表現に言いかえなさい。

⑤ この文の主題は何か。

⑥ この文の主語は何か。

⑦ この文で主語は何か。「道筋をつける」とはどのような意味か。またこの表現を用いた例文を作りなさい。

⑧　この文で、「素地」とはどのような意味か。またこの表現を用いた例文を作りなさい。

Ⅱ　本文の内容について次の問いに答えてください。

1．現時点で量子コンピューターが越えなければならない技術的問題点とは何か。

2．今後期待される量子コンピューターの役割として何が考えられるか。

3．今後、量子コンピューターの技術開発に力を入れていくのはどの国か。国を2つ挙げ、それぞれ代表的な企業名を挙げなさい。

8. iPS細胞 創薬でも注目、既存薬でALS治験へ

　iPS細胞と既存薬の**転用**を組み合わせた**治療薬**の**開発**が加速している。京都大学などの研究チームは、全身の筋肉が次第に**衰える難病の筋萎縮性側索硬化症**（ALS）の**根治**を目指す**臨床試験**（治験）を近く始める。慶応義塾大学*でも同様の治験が進む。iPS細胞で病気の原因を**解明**して新薬を開発する「iPS創薬」への難病患者などの期待は高い。安全性の確認されている既存薬の中から**効く**ものが見つかれば、創薬の**効率**が高まると注目されている。

　ALSは、脳からの命令を全身の筋肉に伝える**運動神経**が失われ、体を動かせなくなっていく難病だ。国内では9000人以上の患者がいるとされる。①症状が進むと次第に**呼吸困難**になるため、**人工呼吸器**が必要になる。**既存の治療薬**では3カ月の**延命効果**や、進行の遅い患者に限り**運動機能**の一部**改善効果**がある程度で、根治につながる薬はないのが現状だ。

　3月26日、京都大教授の井上治久さんらの研究グループは、ALSの**医師主導**治験を始めると発表した。市販されている**慢性骨髄性白血病**の治療薬「ボスチニブ」を試す。**発症**から2年以内で、自力で生活できる20歳以上80歳未満の患者が対象だ。②1日1回12週間にわたって**内服する**。最終的には24人への**投与**を目指す。京都大付属病院のほか4機関で**実施する**。

　研究グループは「iPS創薬」の**手法**で、ボスチニブを**選定した**。ALSの患者の皮膚からiPS細胞を作って運動神経細胞に変化させ、病気になる原因を調べた。③異常なたんぱく質が**蓄積**して細胞死が起こりやすくなっていた。既存薬

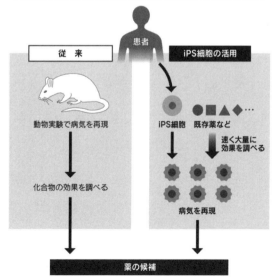

iPS細胞と既存薬の転用を組み合わせて効率よく薬の候補を探す

患者

従来	iPS細胞の活用
動物実験で病気を再現	iPS細胞　既存薬など
	速く大量に効果を調べる
化合物の効果を調べる	病気を再現

薬の候補

など1400種類以上の薬を調べると、27種類の薬が細胞死を強く**抑える**ことを**突き止めた**。その中から、ボスチニブがALSの原因たんぱく質を減らす効果があることを発見した。

　創薬では一般に、**病態を解明して病気に関係する物質を抑える化合物を探索**。④その効果や安全性を細胞や動物を使った実験で確かめる必要がある。1つの新薬を生み出すには、1000億円以上の費用と10年以上の期間がかかり、新薬開発の**成功確率**は3万分の1ともいわれる。

　今回のように、既存薬を別の病気の治療に転用することを「ドラッグリポジショニング」という。既存薬を使うため安全性を確認できており、大幅に創薬の効率が高まる。

　ALSについては、慶応大学教授の岡野栄之さんらの研究グループが2018年12月から治験を始めた。患者の**血液**から作ったiPS細胞を使って、病気を起こす神経細胞を**再現**。約1200種の既存薬で効果を調べた。その結果、パーキンソン病の治療薬「ロピニロール塩酸塩」が、異常なたんぱく質が細胞内にたまったり、細胞が死んだりするのを抑えることを突き止めた。既存のALS治療薬よりも2〜3倍の効果を示すことも確かめたという。

　iPS細胞とリポジショニングを利用した新薬候補の治験は、続々と始まっている。京大病院は筋肉の難病「**進行性骨化性線維異形成症（FOP）**」で、慶応大病院は進行性の**難聴**「**ペンドレッド症候群**」で、いずれも治験を実施している。京大のALSを含めれば国内で4例の治験が進むことになる。

　iPS細胞というと、**臨床研究**や治験の進む⑤再生医療分野に注目が集まりがちだが、創薬分野も大きな柱の一つだ。特に患者数が少ない難病などの病気で有効だ。企業の利益が見込めないことから、これまで**希少疾患**の創薬開発は進んでいなかった。こうした患者には治療の選択肢が増える可能性がある。

　リポジショニングには課題もある。国は大学などの研究を支援するが、**成果を企業に引き継げない**。**特許**切れの既存薬は**薬価**が低く、企業が実用化に消極的なためだ。大学での治験の成果を実用化につなげるためには、薬価を高めら

れるような制度の見直しも求められる。

iPS細胞

　目や神経、心臓など体のあらゆる細胞に変化できる**万能細胞**。複数の**遺伝子**を**導入**して作る。京都大学の山中伸弥教授が2006年にマウスで初めて作製し、⑥07年に人でも報告した。この成果で12年、ノーベル**生理学**・医学賞を受賞した。

　患者にiPS細胞から作った細胞を**移植して**、病気やけがで失った機能を取り戻す再生医療と、様々な病気の治療薬開発を目指す「iPS創薬」が応用の2本柱だ。iPS細胞は実際の患者の細胞で多くの実験ができるため、患者から取り出して実験しにくい脳や神経といった**患部**の病気の原因**究明**などに役立つ。

日本経済新聞　電子版　2019/4/10

＊編著者注釈　正しくは「慶應義塾大学」

Ⅰ 漢字・語句・表現

1. 以下で漢字の読み方と重要語句の意味を確認してください。

---

8. iPS細胞　創薬でも注目、既存薬でALS治験へ

　iPS細胞と既存薬の転用を組み合わせた治療薬の開発が加速している。京都大学などの研究チームは、全身の筋肉が次第に衰える難病の筋萎縮性側索硬化症（ALS）の根治を目指す臨床試験（治験）を近く始める。慶応義塾大学*でも同様の治験が進む。iPS細胞で病気の原因を解明して新薬を開発する「iPS創薬」への難病患者などの期待は高い。安全性の確認されている既存薬の中から効くものが見つかれば、創薬の効率が高まると注目されている。

　ALSは、脳からの命令を全身の筋肉に伝える運動神経が失われ、体を動かせなくなっていく難病だ。国内では9000人以上の患者がいるとされる。①症状が進むと次第に呼吸困難になるため、人工呼吸器が必要になる。既存の治療薬では3カ月の延命効果や、進行の遅い患者に限り運動機能の一部改善効果がある程度で、根治につながる薬はないのが現状だ。

　3月26日、京都大教授の井上治久さんらの研究グループは、ALSの医師主導治験を始めると発表した。市販されている慢性骨髄性白血病の治療薬「ボスチニブ」を試す。発症から2年以内で、自力で生活できる20歳以上80歳未満の患者が対象だ。②1日1回12週間にわたって内服する。最終的には24人への投与を目指す。京都大付属病院のほか4機関で実施する。

　研究グループは「iPS創薬」の手法で、ボスチニブを選定した。ALSの患者の皮膚からiPS細胞を作って運動神経細胞に変化させ、病気になる原因を調べた。③異常なたんぱく質が蓄積して細胞死が起こりやすくなっていた。既存薬など1400種類以上の薬を調べると、27種類の薬が細胞死を強く抑えることを突き止めた。その中から、ボスチニブがALSの原因たん

ぱく質を減らす効果があることを発見した。

　創薬では一般に、**病態を解明して病気に関係する物質を抑える化合物を探索**。④その効果や安全性を細胞や動物を使った実験で確かめる必要がある。1つの新薬を生み出すには、1000億円以上の費用と10年以上の期間がかかり、新薬開発の**成功確率**は3万分の1ともいわれる。

　今回のように、既存薬を別の病気の治療に転用することを「ドラッグリポジショニング」という。既存薬を使うため安全性を確認できており、大幅に創薬の効率が高まる。

　ALSについては、慶応大学教授の岡野栄之さんらの研究グループが2018年12月から治験を始めた。患者の血液から作ったiPS細胞を使って、病気を起こす神経細胞を再現。約1200種の既存薬で効果を調べた。その結果、パーキンソン病の治療薬「ロピニロール塩酸塩」が、異常なたんぱく質が細胞内にたまったり、細胞が死んだりするのを抑えることを突き止めた。既存のALS治療薬よりも2〜3倍の効果を示すことも確かめたという。

　iPS細胞とリポジショニングを利用した新薬候補の治験は、続々と始まっている。京大病院は筋肉の難病「進行性骨化性線維異形成症（FOP）」で、慶応大病院は進行性の難聴「ペンドレッド症候群」で、いずれも治験を実施している。京大のALSを含めれば国内で4例の治験が進むことになる。

　iPS細胞というと、**臨床研究や治験の進む⑤再生医療分野に注目が集まりがちだが**、創薬分野も大きな柱の一つだ。特に患者数が少ない難病などの病気で有効だ。企業の利益が見込めないことから、これまで**希少疾患の創薬開発**は進んでいなかった。こうした患者には治療の選択肢が増える可能性がある。

　リポジショニングには課題もある。国は大学などの研究を支援するが、成果を企業に**引き継げない**。**特許**切れの既存薬は薬価が低く、企業が実用化に消極的なためだ。大学での治験の成果を実用化につなげるためには、薬価を高められるような制度の見直しも求められる。

iPS細胞

　目や神経、心臓など体のあらゆる細胞に変化できる万能細胞。複数の遺伝子を導入して作る。京都大学の山中伸弥教授が2006年にマウスで初めて作製し、⑥07年に人でも報告した。この成果で12年、ノーベル生理学・医学賞を受賞した。

　患者にiPS細胞から作った細胞を移植して、病気やけがで失った機能を取り戻す再生医療と、様々な病気の治療薬開発を目指す「iPS創薬」が応用の2本柱だ。iPS細胞は実際の患者の細胞で多くの実験ができるため、患者から取り出して実験しにくい脳や神経といった患部の病気の原因究明などに役立つ。

＊編著者注釈　正しくは「慶應義塾大学」

重要語句

日本語	Tiếng Việt	中文	English
細胞	tế bào	细胞	cell
創薬	việc phát triển thuốc	药物研发	drug development
既存薬（きぞんやく）	thuốc hiện có	现有药物	established drug
治験	thử nghiệm lâm sàng	临床试验	clinical trial
転用	sự chuyển hướng	转用	alternative use
治療薬	thuốc điều trị	治疗药物	therapeutic agent
開発	việc phát triển	开发、创造	development, invention
衰える	suy yếu	衰弱、衰退	atrophy, wither (body part)
難病	bệnh nan y	难治之症	intractable disease
筋萎縮性側索硬化症	chứng xơ cứng teo cơ một bên	肌萎缩性侧索硬化症	amyotrophic lateral sclerosis
根治（こんじ）	việc chữa khỏi hẳn	根治（彻底治好）	complete cure, radical treatment
臨床試験	thử nghiệm lâm sàng	临床试验	clinical trial
解明する	làm sáng tỏ	弄明白	elucidate, clarify
効く	có hiệu quả	有效	be effective
効率	tính hiệu quả	效率	efficiency
運動神経	thần kinh vận động	运动神经	motor nerve
呼吸困難	chứng khó thở	呼吸困难	breathing difficulty, dyspnea
人工呼吸器	máy thở	人工呼吸机	mechanical ventilator
既存の（きぞん）	hiện có	已有的	existing, established
延命効果	hiệu quả kéo dài sự sống	延长寿命的效果	life prolongation
運動機能	chức năng vận động	运动机能	motor function
改善効果	hiệu quả cải thiện	改善效果	ameliorative effect, improving effect

日本語	Tiếng Việt	中文	English
医師主導（いししゅどう）	do y bác sĩ chủ xướng	医生主导	doctor-initiated, physician-initiated
慢性骨髄性白血病（まんせいこつずいせいはっけつびょう）	bệnh bạch cầu thể tủy mãn tính	慢性髓系白血病、慢性髓细胞白血病、慢性粒细胞白血病	chronic myeloid leukemia
発症（はっしょう）	phát bệnh	发病	pathogenesis, onset
内服する（ないふく）	uống thuốc	内用、内服	take internally
投与（とうよ）	sự cấp thuốc	给药	(drug) administration
実施する（じっし）	tiến hành	实行、实施	conduct, carry out
手法（しゅほう）	phương pháp	方法	method
選定する（せんてい）	lựa chọn	选定	select
蓄積する（ちくせき）	tích luỹ	积蓄	accumulate
抑える（おさ）	ức chế	抑制	suppress, inhibit
突き止める（つきと）	tìm ra	究明	find out
病態（びょうたい）	trạng thái bệnh lý	病情、病状、病况	pathologic condition, state of disease
化合物（かごうぶつ）	hợp chất	化合物	compound
探索する（たんさく）	tìm kiếm	探索	search, explore
成功確率（せいこうかくりつ）	xác suất thành công	成功率	probability of success
血液（けつえき）	máu	血液	blood
再現する（さいげん）	tái tạo	再现	regenerate
進行性骨化性線維異形成症（しんこうせいこっかせいせんいいけいせいしょう）	hội chứng người hóa đá	进行性骨化性纤维发育不良	fibrodysplasia ossificans progressiva
難聴（なんちょう）	khiếm thính	耳聋、重听	deafness, hearing impairment
ペンドレッド症候群（しょうこうぐん）	hội chứng Pendred	彭德莱综合征（耳聋–甲状腺肿综合征）	Pendred syndrome
臨床研究（りんしょうけんきゅう）	nghiên cứu lâm sàng	临床研究	clinical research
再生医療（さいせいいりょう）	y học tái tạo	再生医疗	regenerative medicine

日本語	Tiếng Việt	中文	English
希少疾患 <ruby>き<rt>き</rt></ruby><ruby>しょう<rt>しょう</rt></ruby><ruby>しっかん<rt>しっかん</rt></ruby>	bệnh hiếm gặp	稀少疾病	rare disease
成果 せい か	kết quả, thành quả	成果	outcome, result
引き継ぐ ひ つ	chuyển giao	継承、継続	hand over, pass on
特許 とっきょ	bằng sáng chế	专利	patent
薬価 やっか	giá thuốc	药价	(standardized) drug price
万能細胞（＝ ばんのうさいぼう 多目的幹細胞） た もくてきかんさいぼう	tế bào gốc đa năng	万能细胞	induced pluripotent stem cells (iPS cells)
遺伝子 い でん し	gien	基因、遗传基因	gene
導入する どうにゅう	đưa vào	导入、引进	introduce
生理学 せい り がく	sinh lý học	生理学	physiology
移植する い しょく	cấy ghép	移植	transplant
患部 かん ぶ	phần nhiễm bệnh	患部	affected part, affected area
究明 きゅうめい	nghiên cứu	探究	investigation

2. 下線①～⑥の語句・表現について、質問に答えてください。

① 「症状が進むと次第に呼吸困難になる」理由を推測してください。

② 「1日1回12週間にわたって内服する。」で省略されている主語と目的語は何か。

③ 「異常なたんぱく質が蓄積して細胞死が起こりやすくなっていた。」の前に接続詞を挿入する場合、次の内どれが最も適しているか。

　　ア　しかし　　イ　なぜなら　　ウ　すると　　エ　それでも

④ 「その効果や安全性を細胞や動物を使った実験で確かめる」で「その」は何をさすか。

⑤ 「再生医療分野に注目が集まりがちだが」で「～がち」はどのような意味か。また「～がち」を用いた例文を作りなさい。

⑥ 「07年に人でも報告した。」で省略されている目的語は何か。

Ⅱ 本文の内容について次の問いに答えてください。

1. 医療の分野において、iPS細胞の2つの主な応用法について簡単に述べなさい。

2. この記事では、iPS創薬により選定されたALS治療薬の治験はいくつの研究グループにより行われると述べているか。またそれらは主にどの大学（病院）で実施されるか。

3. 「ドラッグリポジショニング」とは何か。また、その利点と課題について簡単に述べなさい。

4. リポジショニングによる新薬候補の治験はALS治療薬以外にも行われている。その例となる病気は何か。

9. 「神の領域」に近づくゲノム編集 人間での研究はどこまで許されるか

　遺伝子を効率よく切り貼りする「ゲノム編集」。使い方によっては、デザイナーベビーを現実にする技術だ。条件付きで「容認」する動きが出始めたが、課題は克服されたのか。1998年に日本で公開されたSF映画「ガタカ」では、生まれつき遺伝子操作され、知力や体力が優れた者が「適正者」として優遇される一方、自然に生まれた者は「不適正者」として差別される未来社会が描かれた。①今や、この映画は想像の産物とは言い切れなくなった。遺伝子を効率よく正確に切り貼りできる「ゲノム編集」が急速に発展。植物や動物だけでなく、ついに人間にも応用され始めてきたからだ。

　すでに大豆などで実用化されている「遺伝子組み換え技術」では、ウイルスなどを使って特定の遺伝子を細胞に送り込むのだが、その遺伝子が細胞側の「DNA」のどこに組み込まれるかわからない方法が大半だった。ゲノム編集では、DNAを切る「ハサミ」の役割をする酵素と、②切りたい位置にそれを導くガイド役の分子がセットで働く。このセットが細胞に入ると、ガイド役が狙った位置を見つけ出し、ハサミがDNAを切って遺伝子を壊す。ここに新しい遺伝子を組み込むこともできる。2013年に開発された「CRISPR／Cas9（クリスパー／キャス9)」という技術で、急速に普及した。ゲノム編集の応用方法は広い。肉付きのいいウシや、おとなしくて養殖しやすいマグロ、大きなタイ、病気になりにくいイネなどの研究開発が進んでいる。

ゲノム編集のしくみ

遺伝子を切断

DNA　切断　狙ったところを切るはさみ

遺伝子

遺伝子は働かなくなる

遺伝子を挿入

切断し、入れたい遺伝子を加える

別の遺伝子が働く

エイズ治療研究で進展

　医学分野では、ゲノム編集を使った**遺伝子治療**の臨床研究が行われており、後述するようにHIV（エイズウイルス）などで良好な結果が出始めている。**再生医療**にも応用される。人間でも動物でも、ゲノム編集をする対象が体細胞であれば、**改変された**結果がその子孫に伝わることはない。しかし**受精卵**や**初期胚、精子、卵子**であれば、改変は子孫に伝わる。人間の受精卵ゲノム編集に**倫理的な懸念**が**指摘される**のはそのためだ。研究者らは、受精卵にゲノム編集を行うことは「**顕微授精（体外受精の一種）よりも簡単**」と口をそろえる。

（中略）

　マウスや、後述するサルで受精卵ゲノム編集が可能なら、人間でもできるようになると考えるのは自然だ。たとえば遺伝病の原因遺伝子を持つ人は、ゲノム編集で子どもが病気を受け継がないようにしたいかもしれない。

毛の変色、動物で実績

　その先には、親が望む特徴を持つように遺伝子を設計した赤ちゃん「デザイナーベビー」の誕生さえ**視野**に入る。実際、ゲノム編集で筋肉を増強すること、体毛の色を変えることなどは動物実験ではすでに可能だ。もちろん、技術的な課題は残っている。一つは、目的ではないDNAに**変異**をもたらしてしまうこと（目的外変異）。③もう一つは、ゲノム編集できた細胞とできなかった細胞が混ざってしまうこと（モザイク）だ。国立成育医療研究センターゲノム機能研究室の乾雅史室長は「一つ大事なことは、私たちがゲノム編集でできるのはDNAに**切り込み**を入れるまでであって、そこから先は細胞がもとも

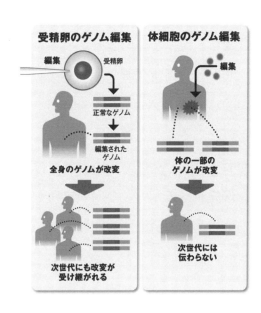

と持つDNAの**修復機能**に頼っていることです。その部分はコントロールできないのです」と指摘する。「だからどこまでいっても、100％にはならないのです」。

将来世代は同意不可能

いま現実的と考えられるのは、遺伝子関連の病気をゲノム編集で「治療」することだ。しかし、治療の範囲内なら問題はないのだろうか。

HIVのゲノム編集遺伝子治療では、CCR5という遺伝子を切り、働かなくさせることでHIVに感染しにくくする。一方、この遺伝子を働かなくさせると、西ナイル熱にかかりやすくなってしまう。「現時点ではいいことだと思われても、将来はよくないことになるかもしれません」と高橋教授は指摘する。体細胞へのゲノム編集であれば、その影響は本人にとどまるのでインフォームド・コンセント（情報を得たうえでの同意）が可能であろう。しかし、受精卵でのゲノム編集では、将来世代まで改変が受け継がれる。「④将来の世代にインフォームド・コンセントを取ることは不可能なのです」（三谷教授）

受精卵へのゲノム編集の**最前線**をのぞいてみよう。実は、**霊長類**（サル）ですでに成功している。実験動物中央研究所などは今年7月、小型のサル、コモンマーモセットの受精卵をゲノム編集して**免疫**の遺伝子の働きを失わせることに成功した、と専門誌セル・ステムセルで発表した。

しかし、同研究所マーモセット研究部の佐々木えりか部長は、現時点で人間の受精卵でゲノム編集を進めることには**慎重**だ。「編集する遺伝子が、遠い未来にとってすごく重要なものだったら？　人類の可能性をつぶすことにもなりかねません。ゲノム編集以外も含めて、生まれた後または**胎児**での治療の研究を**優先すべき**です」今回の成功も、マウスでは研究が難しい精神・神経などの病気の**解明**や治療法の開発への一歩と考えている。

（中略）

英では国が研究承認

　今年2月1日には、英フランシス・クリック研究所が、人間の受精卵にゲノム編集を行う研究について、英政府機関「ヒトの受精及び胚研究認可局（HFEA）」の承認を受けたと発表した。国の機関が、人間の受精卵ゲノム編集を認めたのは世界で初めて。研究者らは、体外受精で余った受精卵のゲノムを編集し、成長に**不可欠**な遺伝子を調べる。英国で認められた研究計画については、少なくとも科学的な**妥当性**はあるという声もある。しかし、「英国で成功したとしても、日本ではそんなにうまく**許容される**ことはないでしょう」と、国立成育医療研究センター生殖医療研究部の阿久津英憲部長は言う。「日本ではまだ社会的な議論が深くなされていません。英国では1978年の体外受精児誕生以来、時間をかけています。背景が違うのです」

　日本では、遺伝子を改変した受精卵から子どもを誕生させることは、遺伝子治療の**指針**で禁止されている。ただし、**強制力**はない。また、この指針は基礎研究を対象としていないので、日本には基礎研究のルールはまだ存在しない。今年4月22日には、内閣府の生命倫理専門調査会が、⑤人間の受精卵にゲノム編集を行う基礎研究は「容認される場合」があるとする「中間まとめ」を公表した。**臨床応用**は、安全性や倫理面での問題があるとして認めなかった。ワシントンでの声明＊に**追随**した形だ。

　生物学者や医学者だけでなく、人文・社会科学者、そして患者や一般市民も交えた議論を広く継続し、国際的な研究の進め方や**規制**のあり方を探ることが**急務**である。

粥川準二　AERA　2016年9月12日号より一部改変

＊（原文より）　人間でのゲノム編集をテーマにした国際会議「ヒトゲノム編集サミット」が15年12月、米国のワシントンで開かれた。まとめられた声明では、実験室で行う基礎研究は規制と監視の下で認める一方、臨床応用、つまりゲノム編集した胚を子宮に戻すことは認めなかった。

Ⅰ 漢字・語句・表現

1. 以下で漢字の読み方と重要語句の意味を確認してください。

9. 「神の領域」に近づくゲノム編集　人間での研究はどこまで許されるか

　　遺伝子を効率よく切り貼りする「ゲノム編集」。使い方によっては、デザイナーベビーを現実にする技術だ。条件付きで「容認」する動きが出始めたが、課題は克服されたのか。1998年に日本で公開されたSF映画「ガタカ」では、生まれつき遺伝子操作され、知力や体力が優れた者が「適正者」として優遇される一方、自然に生まれた者は「不適正者」として差別される未来社会が描かれた。①今や、この映画は想像の産物とは言い切れなくなった。遺伝子を効率よく正確に切り貼りできる「ゲノム編集」が急速に発展。植物や動物だけでなく、ついに人間にも応用され始めてきたからだ。

　　すでに大豆などで実用化されている「遺伝子組み換え技術」では、ウイルスなどを使って特定の遺伝子を細胞に送り込むのだが、その遺伝子が細胞側の「DNA」のどこに組み込まれるかわからない方法が大半だった。ゲノム編集では、DNAを切る「ハサミ」の役割をする酵素と、②切りたい位置にそれを導くガイド役の分子がセットで働く。このセットが細胞に入ると、ガイド役が狙った位置を見つけ出し、ハサミがDNAを切って遺伝子を壊す。ここに新しい遺伝子を組み込むこともできる。2013年に開発された「CRISPR／Cas9（クリスパー／キャス9）」という技術で、急速に普及した。ゲノム編集の応用方法は広い。肉付きのいいウシや、おとなしくて養殖しやすいマグロ、大きなタイ、病気になりにくいイネなどの研究開発が進んでいる。

エイズ治療研究で進展

　医学分野では、ゲノム編集を使った遺伝子治療の臨床研究が行われており、後述するようにHIV（エイズウイルス）などで良好な結果が出始めている。再生医療にも応用される。人間でも動物でも、ゲノム編集をする対象が体細胞であれば、改変された結果がその子孫に伝わることはない。しかし受精卵や初期胚、精子、卵子であれば、改変は子孫に伝わる。人間の受精卵ゲノム編集に倫理的な懸念が指摘されるのはそのためだ。研究者らは、受精卵にゲノム編集を行うことは「顕微授精（体外受精の一種）よりも簡単」と口をそろえる。

（中略）

　マウスや、後述するサルで受精卵ゲノム編集が可能なら、人間でもできるようになると考えるのは自然だ。たとえば遺伝病の原因遺伝子を持つ人は、ゲノム編集で子どもが病気を受け継がないようにしたいかもしれない。

毛の変色、動物で実績

　その先には、親が望む特徴を持つように遺伝子を設計した赤ちゃん「デザイナーベビー」の誕生さえ視野に入る。実際、ゲノム編集で筋肉を増強すること、体毛の色を変えることなどは動物実験ではすでに可能だ。もちろん、技術的な課題は残っている。一つは、目的ではないDNAに変異をもたらしてしまうこと（目的外変異）。③もう一つは、ゲノム編集できた細胞とできなかった細胞が混ざってしまうこと（モザイク）だ。国立成育医療研究センターゲノム機能研究室の乾雅史室長は「一つ大事なことは、私たちがゲノム編集でできるのはDNAに切り込みを入れるまでであって、そこから先は細胞がもともと持つDNAの修復機能に頼っていることです。その部分はコントロールできないのです」と指摘する。「だからどこまでいっても、100％にはならないのです」。

将来世代は同意不可能

　いま現実的と考えられるのは、遺伝子関連の病気をゲノム編集で「治療」することだ。しかし、治療の範囲内なら問題はないのだろうか。

　HIVのゲノム編集遺伝子治療では、CCR5という遺伝子を切り、働かなくさせることでHIVに感染しにくくする。一方、この遺伝子を働かなくさせると、西ナイル熱にかかりやすくなってしまう。「現時点ではいいことだと思われても、将来はよくないことになるかもしれません」と高橋教授は指摘する。体細胞へのゲノム編集であれば、その影響は本人にとどまるのでインフォームド・コンセント（情報を得たうえでの同意）が可能であろう。しかし、受精卵でのゲノム編集では、将来世代まで改変が受け継がれる。「④将来の世代にインフォームド・コンセントを取ることは不可能なのです」（三谷教授）

　受精卵へのゲノム編集の最前線をのぞいてみよう。実は、霊長類（サル）ですでに成功している。実験動物中央研究所などは今年7月、小型のサル、コモンマーモセットの受精卵をゲノム編集して免疫の遺伝子の働きを失わせることに成功した、と専門誌セル・ステムセルで発表した。

　しかし、同研究所マーモセット研究部の佐々木えりか部長は、現時点で人間の受精卵でゲノム編集を進めることには慎重だ。「編集する遺伝子が、遠い未来にとってすごく重要なものだったら？　人類の可能性をつぶすことにもなりかねません。ゲノム編集以外も含めて、生まれた後または胎児での治療の研究を優先すべきです」今回の成功も、マウスでは研究が難しい精神・神経などの病気の解明や治療法の開発への一歩と考えている。

（中略）

英では国が研究承認

　今年2月1日には、英フランシス・クリック研究所が、人間の受精卵にゲノム編集を行う研究について、英政府機関「ヒトの受精及び胚研究認可局（HFEA）」の承認を受けたと発表した。国の機関が、人間の受精卵ゲ

ノム編集を認めたのは世界で初めて。研究者らは、体外受精で余った受精卵のゲノムを編集し、成長に不可欠な遺伝子を調べる。英国で認められた研究計画については、少なくとも科学的な妥当性はあるという声もある。

しかし、「英国で成功したとしても、日本ではそんなにうまく許容されることはないでしょう」と、国立成育医療研究センター生殖医療研究部の阿久津英憲部長は言う。「日本ではまだ社会的な議論が深くなされていません。英国では1978年の体外受精児誕生以来、時間をかけています。背景が違うのです」

日本では、遺伝子を改変した受精卵から子どもを誕生させることは、遺伝子治療の指針で禁止されている。ただし、強制力はない。また、この指針は基礎研究を対象としていないので、日本には基礎研究のルールはまだ存在しない。今年4月22日には、内閣府の生命倫理専門調査会が、⑤人間の受精卵にゲノム編集を行う基礎研究は「容認される場合」があるとする「中間まとめ」を公表した。臨床応用は、安全性や倫理面での問題があるとして認めなかった。ワシントンでの声明＊に追随した形だ。

生物学者や医学者だけでなく、人文・社会科学者、そして患者や一般市民も交えた議論を広く継続し、国際的な研究の進め方や規制のあり方を探ることが急務である。

＊（原文より）　人間でのゲノム編集をテーマにした国際会議「ヒトゲノム編集サミット」が15年12月、米国のワシントンで開かれた。まとめられた声明では、実験室で行う基礎研究は規制と監視の下で認める一方、臨床応用、つまりゲノム編集した胚を子宮に戻すことは認めなかった。

日本語	Tiếng Việt	中文	English
りょういき 領域	lãnh địa	领域	field, domain
ゲノム編集 へんしゅう	chỉnh sửa bộ gien	基因组编辑	genome editing
いでんし 遺伝子	gien	遗传基因	gene
こうりつ 効率	hiệu quả	效率	efficiency
き　ば 切り貼りする	cắt dán	剪切粘贴	cut and paste
デザイナーベ ビー	đứa trẻ thiết kế sẵn	设计试管婴儿	designer baby
ようにん 容認する	thừa nhận, chấp nhận	容认、承认	acceptance, admission, approval
こくふく 克服する	khắc phục	克服	overcome
いでんしそうさ 遺伝子操作す る	thao tác gien	基因操作	gene manipulation, genetic manipulation
てきせい 適正	thích hợp, đúng đắn	正当和正确	appropriate, suitable
ゆうぐう 優遇する	ưu đãi	优待	treat preferentially
さんぶつ 産物	sản phẩm	产物、结果	product
じつようか 実用化する	ứng dụng vào thực tế	实用化	put to practical use
いでんしく　か 遺伝子組み換 え技術 ぎじゅつ	công nghệ biến đổi gien	基因重组技术	gene recombinant technology
さいぼう 細胞	tế bào	细胞	cell
こうそ 酵素	enzim	酵素	enzyme
みちび 導く	dẫn đường	引领、导致	lead
ぶんし 分子	phân tử	分子	molecule
ねら 狙う	nhắm đến	以~为目标	aim (at)
かいはつ 開発する	phát triển	开发	develop
ふきゅう 普及する	phổ biến	普及	spread, become common
ようしょく 養殖する	nuôi trồng thủy sản	养殖	cultivate (aquaculture)
いでんしちりょう 遺伝子治療	liệu pháp gien	基因疗法	gene therapy

日本語	Tiếng Việt	中文	English
臨床研究 りんしょうけんきゅう	nghiên cứu lâm sàng	临床研究	clinical research
後述する こうじゅつ	sẽ trình bày sau	后述、以后讲述	～ described below, below-mentioned ～
再生医療 さいせいいりょう	y học tái tạo	再生医疗	regenerative medicine
改変する かいへん	sửa đổi	改变	modify
受精卵 じゅせいらん	trứng đã thụ tinh	受精卵	fertilized egg, fertilized ovum
初期胚 しょきはい	phôi thời kỳ đầu	早期胚胎	early embryo
精子 せいし	tinh trùng	精子	spermatozoa
卵子 らんし	noãn (của người)	卵子	egg cell, oocyte
倫理的な りんりてき	về mặt đạo đức	伦理的	ethical
懸念 けねん	sự lo ngại	顾虑	concern
指摘する してき	chỉ ra	指摘、指出	point out, indicate
顕微授精 けんびじゅせい	việc tiêm tinh trùng vào bào tương noãn	微授精	micro-insemination
体外受精 たいがいじゅせい	thụ tinh trong ống nghiệm	体外受精	in vitro fertilization
視野 しや	tầm nhìn	视野	field of view, scope of consideration
変異 へんい	đột biến	突变	mutate
切り込み きこ	vết cắt	深深切入	cut, notch
修復機能 しゅうふくきのう	chức năng sửa chữa	修复机能	restorative function
最前線 さいぜんせん	tiền tuyến, tuyến đầu	最前线	forefront
霊長類 れいちょうるい	loài linh trưởng	灵长类动物	primates
免疫 めんえき	sự miễn dịch	免疫	immunity
慎重な しんちょう	thận trọng	慎重、小心	careful, prudent
胎児 たいじ	thai nhi	胎儿	fetus
優先する ゆうせん	ưu tiên	优先	prioritize
解明 かいめい	sự làm sáng tỏ	阐明、清楚、 解释清楚	clarification, elucidation

日本語	Tiếng Việt	中文	English
承認 しょうにん	sự phê duyệt	承认、批准	approval
不可欠な ふ か けつ	không thể thiếu	必不可少	indispensable, essential
妥当性 だ とうせい	tính hợp lý	妥当性	validity
許容する きょよう	tán thành, cho phép	容许、允许	permit, tolerate, accept, allow
指針 し しん	đường lối chỉ đạo	方针、指南	guideline
強制力 きょうせいりょく	sức cưỡng chế	强制力	force, power of enforcement
臨床応用 りんしょうおうよう	ứng dụng lâm sàng	临床应用	clinical application
追随する ついずい	đi theo	追随、跟随	follow, come in the wake of
規制 き せい	quy định, quy tắc	限制	regulation
急務 きゅう む	nhiệm vụ khẩn cấp	紧急任务	urgent task

2. 下線①〜⑤の語句・表現について、質問に答えてください。

① 「今や、この映画は想像の産物とは言い切れなくなった。」の表現で「想像の産物」および、「言い切れない」とはどのような意味か。また、これらの語句を用いて例文を作りなさい。

② 「切りたい位置にそれを導くガイド役の分子」の表現で、「それ」とは何をさすか。

③ この文章で述べられている「モザイク」はなぜ生じるのか。

④ 将来の世代にインフォームド・コンセントを取ることはなぜ不可能なのか。

⑤ 人間の受精卵にゲノム編集を行う研究としてはどのようなものがあるか。

Ⅱ 本文の内容について次の問いに答えてください。

1.「ゲノム編集技術」は医学分野以外ではどのような研究開発が行われているか。例を挙げなさい。

2. 遺伝病の原因遺伝子を持つ人が、ゲノム編集で子どもが病気を受け継がないようにしたいと考え、自分の受精卵や初期胚、精子、卵子にゲノム編集により遺伝子を改変することはなぜ許されないか。

3. ゲノム編集において現在どのような技術的問題が残されているか。またその原因は何か。

10. ブラックホール撮影
次は「ジェット」の仕組み解明へ

　1世紀前に存在が**予言され**ながら、誰も見たことがなかったブラックホールの撮影に、国立天文台などの国際チームがついに成功した。<u>①捉えた**漆黒の穴**は、物理学の基本理論を証明する歴史的な発見となった。</u>

一般相対性理論を証明

　ブラックホールは非常に強い**重力**によって、周囲にある光などあらゆる物をのみ込んでしまう**天体**。<u>②アインシュタインによる1916年の一般相対性理論によって、ほぼ同時期に存在が**予想されていた**。</u>チームは世界6カ所の**電波望遠鏡**を連携させて解像度を高め、M87銀河の中心にある巨大ブラックホールを捉えた。

撮影した巨大ブラックホール

　チームの永井洋・国立天文台特任准教授（**電波天文学**）は「一般相対性理論の**究極の予言**といえるブラックホールが、**予想通り**の形で姿を見せた。重力が強い空間で理論の正しさを**示した**」と**意義**を説明する。

　ブラックホールは**質量**が大きいほどサイズが大きい。また、穴のように見える円形の影は距離が近いほど**見かけ上**、大きくなり観測しやすい。<u>③そこでチームは、今回のブラックホールと、天の川銀河の中心にあり、地球から特に大きく見えるブラックホール「いて座Aスター*」の2つを対象に観測してきた。</u>

いて座Aスターは地球から2万8千光年の距離にあり、5500万光年離れたM87銀河の中心に比べはるかに近い。ただ、周囲の物質の動きが速く不安定なため、M87銀河の解析が先行し、今回の発表となった。

　2012年ごろから観測を開始したが、黒い穴の存在は当初、はっきりしなかった。日本が参加する南米チリのアルマ望遠鏡が17年に加わったことで感度が飛躍的に向上し、撮影成功につながった。

カギ握る自転

　穴の直径は1000億キロだったことから、このブラックホールの質量は太陽の65億倍と判明。④重い星の寿命が尽きたときにできるタイプと比べ、10億倍も重いことを実測で突き止めた。

　穴の周囲では、のみ込まれるガスが輪のように光っており、その下半分が特に明るかった。一般相対性理論によると、光速に近い速度で移動している光源は進行方向に強い光を発する。このことから、このブラックホールは、輪の下半分が地球の方向に向かうように自転しているとみられる。

　⑤ブラックホールの自転は、周囲にある円盤状のガス雲と垂直の方向に、ガスが猛スピードで噴出する「ジェット」という現象の原動力とされる。

　M87銀河の中心にあるブラックホールではジェットが既に撮影されていたが、今回の画像には意外にも写っていなかった。永井氏は「ジェットが巨大な重力をどう振り切っているかは、解明したい最優先の課題だ」と話す。

　今後は画質をさらに高めてジェットも同時に撮影したり、ガスがのみ込まれる過程を動画で捉えたりするのが目標で、ブラックホールの詳しい構造や仕組みの理解が進みそうだ。

産経ニュース　2019.6.2より一部改変

＊編著者注釈　正しくは「いて座A＊」（読み方＝いてざえーすたー、略号＝Sgr A＊）。いて座辺りの銀河系中心方向から電波が放射されていることが明らかにされ（Jansky, 1933）、この電波源はいて座A＊と名付けられた（Brown, 1982）。

I 漢字・語句・表現

1. 以下で漢字の読み方と重要語句の意味を確認してください。

---

10. ブラックホール撮影　次は「ジェット」の仕組み解明へ

　　1世紀前に存在が予言されながら、誰も見たことがなかったブラックホールの撮影に、国立天文台などの国際チームがついに成功した。①捉えた漆黒の穴は、物理学の基本理論を証明する歴史的な発見となった。

一般相対性理論を証明

　　ブラックホールは非常に強い重力によって、周囲にある光などあらゆる物をのみ込んでしまう天体。②アインシュタインによる1916年の一般相対性理論によって、ほぼ同時期に存在が予想されていた。チームは世界6カ所の電波望遠鏡を連携させて解像度を高め、M87銀河の中心にある巨大ブラックホールを捉えた。

　　チームの永井洋・国立天文台特任准教授（電波天文学）は「一般相対性理論の究極の予言といえるブラックホールが、予想通りの形で姿を見せた。重力が強い空間で理論の正しさを示した」と意義を説明する。

　　ブラックホールは質量が大きいほどサイズが大きい。また、穴のように見える円形の影は距離が近いほど見かけ上、大きくなり観測しやすい。③そこでチームは、今回のブラックホールと、天の川銀河の中心にあり、地球から特に大きく見えるブラックホール「いて座Aスター*」の2つを対象に観測してきた。

　　いて座Aスターは地球から2万8千光年の距離にあり、5500万光年離れたM87銀河の中心に比べはるかに近い。ただ、周囲の物質の動きが速く不安定なため、M87銀河の解析が先行し、今回の発表となった。

　　2012年ごろから観測を開始したが、黒い穴の存在は当初、はっきりし

なかった。日本が参加する南米チリのアルマ望遠鏡が17年に加わったことで感度が飛躍的に向上し、撮影成功につながった。

カギ握る自転

　穴の直径は1000億キロだったことから、このブラックホールの質量は太陽の65億倍と判明。④重い星の寿命が尽きたときにできるタイプと比べ、10億倍も重いことを実測で突き止めた。

　穴の周囲では、のみ込まれるガスが輪のように光っており、その下半分が特に明るかった。一般相対性理論によると、光速に近い速度で移動している光源は進行方向に強い光を発する。このことから、このブラックホールは、輪の下半分が地球の方向に向かうように自転しているとみられる。

　⑤ブラックホールの自転は、周囲にある円盤状のガス雲と垂直の方向に、ガスが猛スピードで噴出する「ジェット」という現象の原動力とされる。

　M87銀河の中心にあるブラックホールではジェットが既に撮影されていたが、今回の画像には意外にも写っていなかった。永井氏は「ジェットが巨大な重力をどう振り切っているかは、解明したい最優先の課題だ」と話す。

　今後は画質をさらに高めてジェットも同時に撮影したり、ガスがのみ込まれる過程を動画で捉えたりするのが目標で、ブラックホールの詳しい構造や仕組みの理解が進みそうだ。

＊編著者注釈　正しくは「いて座A＊」（読み方＝いてざえーすたー、略号＝Sgr A＊）。いて座辺りの銀河系中心方向から電波が放射されていることが明らかにされ（Jansky, 1933）、この電波源はいて座A＊と名付けられた（Brown, 1982）。

日本語	Tiếng Việt	中文	English
ブラックホール	lỗ đen	黑洞	black hole
かいめい 解明	sự làm sáng tỏ	弄明白	elucidation
よげん 予言する	dự đoán	预言	predict
しっこく 漆黒	đen nhánh	漆黑、乌黑	jet black
いっぱんそうたいせい 一般相対性 りろん 理論	thuyết tương đối rộng	广义相对论	general theory of relativity
じゅうりょく 重力	trọng lực	重力	gravity
のみ込む	nuốt chửng	吞没、淹没	swallow
てんたい 天体	thiên thể	天体	celestial body
よそう 予想する	đoán trước	预想	anticipate, forecast, expect
でんぱぼうえんきょう 電波望遠鏡	kính viễn vọng vô tuyến	射电望远镜	radio telescope
れんけい 連携する	cộng tác, hợp tác	合作	cooperate, coordinate, link up
かいぞうど 解像度	độ phân giải	解像度	resolution
ぎんが M87銀河	thiên hà M87	M87银河	M87 galaxy
でんぱてんもんがく 電波天文学	thiên văn học vô tuyến	射电天文学	radio astronomy
きゅうきょく 究極の	cuối cùng, tối thượng	终极的	ultimate
よそうどお 予想通り	đúng như dự đoán	预料之中的	as expected
いぎ 意義	ý nghĩa	意义	significance, meaning
しつりょう 質量	khối lượng	质量	mass
みかけじょう 見かけ上	nhìn bên ngoài, dường như	表面看起来	apparently
あまがわぎんが 天の川銀河	thiên hà Ngân Hà	天河银河	Milky Way (galaxy)
ざ いて座Aスター	Sagittarius A*	射手座A星	Sagittarius A*
こうねん 光年	năm ánh sáng	光年	light year
ちか はるかに(近い)	(gần) hơn nhiều	十分、非常 (近)	much (closer), by far
ふあんてい 不安定な	không ổn định	不安定、不稳定	unstable
かいせき 解析	sự phân tích	分析、解析	analysis

日本語	Tiếng Việt	中文	English
先行する	đi trước	领先	precede, take/be given precedence
アルマ望遠鏡	kính viễn vọng ALMA	阿塔卡玛毫米/亚毫米波阵列望远镜	ALMA telescope
感度	độ nhạy	灵敏度	sensitivity
飛躍的に	có tính nhảy vọt	飞跃	dramatic, rapid
向上する	nâng cao	提高、向上	improve, be improved
カギ握る	có tính then chốt, chủ đạo	掌握关键	be key to, hold the key to
自転	chuyển động quay	自转	rotate (independently)
判明する	xác định	变清晰、明朗化	establish, make clear
寿命が尽きる	hết tuổi thọ	元寿将尽	come to end of a life-span
実測	đo lường thực tế	实际测量	actual measurement
突き止める	xác định	追究、找到	determine, ascertain
光速	tốc độ ánh sáng	光速	speed of light
円盤状	hình đĩa	圆盘形	disk-shaped
猛スピード	tốc độ cực lớn	疾速	terrific speed
噴出する	phun ra, vọt ra	喷出	jet, spurt, erupt
原動力	lực phát động	原动力	driving force
画質	chất lượng hình ảnh	画质	image quality

2. 下線①〜⑤の語句・表現について、質問に答えてください。

① この文で「捉えた」を別の言葉に置き換えなさい。

② この文で「ほぼ同時期に」とはいつのことか。

③ チームは2つのブラックホールを観測してきた。それぞれが存在する場所の名称を答えなさい。また、地球からこれらのブラックホールまでの距離はいくらか。

④ ここで述べている重い星の寿命が尽きたときにできるタイプのブラックホールの質量は太陽のおよそ何倍か。

⑤ この文で「原動力とされる」の主語は何か。

Ⅱ 本文の内容について次の問いに答えてください。

1. ブラックホールについて、本文の内容に基づき簡単に説明しなさい。

2. 今回は撮影されなかったが、ブラックホールからは「ジェット」が噴出している。ジェットはどのようにして発生するか説明しなさい。

3. 今回、ブラックホールの撮影に成功したのは、どのような要因によると考えられるか。

著者

細井和雄（ほそいかずお）

徳島大学名誉教授

1946 年京都市生まれ

1974 年大阪大学大学院理学研究科生物化学専攻博士課程修了（理学博士）

1983 年ジョーンズホプキンス大学客員研究者

1993 年徳島大学教授、歯学部歯学科

2004 年徳島大学教授、大学院ヘルスバイオサイエンス研究部

2007 年徳島大学留学生センター長

2014 年徳島大学副学長（国際担当、国際センター長兼任）

2017 年ドンズー日本語学校（ベトナム、ホーチミン市）教員

翻訳校正

Lê Trần Thư Trúc（レ・チャン・トゥー・チュック）（ベトナム語）

丁　斌（中国語）

Ian Channing（英語）

イラスト（2課、3課）

内山洋見

装丁・本文デザイン

山田武

理系留学生のための 自然科学の日本語

2020 年 9 月 16 日　初版第 1 刷発行

著　者　細井和雄
発行者　藤嵜政子
発　行　株式会社スリーエーネットワーク
　　　　〒102-0083　東京都千代田区麹町 3 丁目 4 番
　　　　　　　　　　トラスティ麹町ビル 2 F
　　　　電話　営業　03（5275）2722
　　　　　　　編集　03（5275）2725
　　　　https://www.3anet.co.jp/
印　刷　三美印刷株式会社

ISBN978-4-88319-870-2　C0081

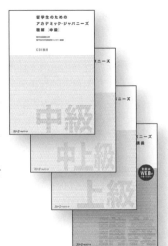

理系留学生のための

自然科学の日本語

解答例

スリーエーネットワーク

1. 化学が「夢」を「現実」にする

I

① イ

② 系の出力側の一部を入力側に戻すこと。これにより系全体の調節を図る。
帰還ともいう。最初、増幅器についてその原理が述べられた。
ここでは「結果が原因の側に戻って原因に影響を与えること」。

③ 「国家予算がそれに配分されている」の意味。
例文：私はその仕事に割く時間がない。

④ ナノテクノロジー（省略されているため、文中に現れていない。）

⑤ ある地点や段階にあって停止することなく、さらに先へと進んでいく様子。

II

1. 「将来は原子を1個ずつ積み上げて物質をつくることが可能となる」と予測した。
米国では大統領がナノテクノロジーを応用した様々なアイディアを発表し、多額の国家予算がこの分野に配分されている。日本でも多くの予算が同分野に配分されている。

2. 「トップダウン」と「ボトムアップ」である。前者は、ものをどんどん小さく削っていき、ナノメートルサイズの小さな加工を行うことを意味する。後者は、原子や分子などを組み合わせてナノスケールの超微細デバイスや材料などを組み立てることである。化学は「ボトムアップ」に深く関係している。

3. 「鉄の10倍の強度の新材料によって、すべての乗り物を軽量化して、燃料消費を抑制する」、「コンピュータの計算速度を100万倍以上に高める」、「がん細胞を検知し、そこに遺伝子や薬物を的確に送り込む」、「太陽電池のエネルギー効率を2倍にする」など。

4. A：ナノテクノロジー　　B：化学

5. 1959年、リチャード・P・ファインマンが予測した、「将来は原子を1個ず

つ積み上げて物質をつくることが可能となる」ということが、「21世紀の産業革命」とも表現されるナノテクノロジー技術の発展によって、現在、実現しつつある。この技術の研究に、米国や日本において多額の国家予算がつぎ込まれている。（解答例、146文字）

2. 世界を変えるか、驚異の新素材カーボンナノチューブ

I

① この表現で言いたいことは「みなさんは信じられないでしょう」ということであり、その意図は話し手の言いたいことを強調することにある。このような表現を「反語」という。

② 大きな箱や器の中にそれより一まわり小さくて同じ形のものを順々に入れていくこと。また、そのように細工された箱・器。

③ 「すべての」あるいは「ある限りの」など。

④ 「とんでもなく」あるいは「とほうもなく」など。

⑤ ここにきて＝「ここに至って」など。「登場し」を修飾する。

⑥ 「現実味を帯びる」とは実現性が高まること。「軌道エレベータという発想が現実のものとなる可能性が高まってきた」という意味。

⑦ 「頭打ち」は「物事が限界（一定の水準）に達し、それ以上伸びない」こと。「コンピュータ技術の進展が限界となってしまえば」の意味。

⑧ 「想像に難くない」は想像するのはそれほど困難でない、すなわち、容易に想像がつくこと。「現代経済を支える市場が大きなダメージを受けることは容易に想像がつきます」の意味。

II

1. 第1の特性：カーボンナノチューブは大変強靭な素材であるので、建築や特殊材料の分野での応用が考えられる。また、カーボンナノチューブを用いた「軌道エレベータ」が実現できれば経済的かつ環境にも優しい宇宙旅行が可能になる。

第2の特性：カーボンナノチューブは半導体にもなりえるのでコンピュータの新たな素材として注目を集めている。また、カーボンナノチューブを用いることで、シリコンチップの配線の現在の限界を超えた細い配線を実現することが可能となり、これによって高密度の配線ができるようになれば、さらなるコンピュータ技術の進展を期待できる。

2. いくら曲げても折れないほどしなやかである。薬品や高熱にも耐えられる。銀よりも電気を良く伝える。ダイヤモンドよりも熱をよく伝える。

3. 皆が注目している事柄をさけ、人々が注目していない分野に目を向けると新しい現象、物質を発見する可能性がある。

3. 導電性高分子——白川英樹博士の業績

I

① とりもなおさず＝そのまま。すなわち。

  例文：発明するということはとりもなおさず人類の発展に寄与することである。

  ほかなりません＝それ以外の何物でもない、確かにそうである。

  例文：この素晴らしい成功は彼女の努力の結果にほかならない。

② 過不足なく＝多過ぎず少な過ぎずちょうど良い状態や仕上がり。

  例文：事実を過不足なく伝える

③ バケツリレー＝火災の消火のために、水のはいったバケツを順々に手渡しして火元まで送ること。

④ 肩を並べる＝同じような力や勢いをもつ。対等な地位に立つ。

  例文：景色ではスイスと肩を並べる国は少ない。

⑤ 科学者たちの興味を引く状態（あるいは結果）にはなっていません。

⑥ 至る＝ある目的地・場所に到達する。または、ある時間・時点、段階・状態になること。

  例文1：大事に至らぬうちに火事を消し止める。

例文2：事ここに至ってはもう手の打ちようがない。

⑦　が、＝「しかし」の意味。（前に述べたことを受けて、あとに述べること
が前に述べたことと逆の関係にあることを表す。）

例文：急いだ。が、間に合わなかった。

ものの＝「けれども」、「とはいえ」の意味。

例文1：習いはしたものの、すっかり忘れてしまった。

例文2：新しいアイディアを提案したものの、採用はされなかった。

Ⅱ

1．第1段階：フィルム状で金属光沢をもったポリアセチレンの合成。（25文
字）

第2段階：フィルム状ポリアセチレンのドーピングによる導電性の飛躍的
上昇。
（31文字）

2．留学生が行った化学合成の実験で、誤って必要な量の1000倍もの触媒を
添加してしまったこと。

3．A：価値　　B：原因　　C：展開

4．実験に失敗してしまい、予想外の結果を得たときでも、この偶然で思いが
けない結果が価値の高い研究成果・発見につながることがある。しかしそ
のような場合でも、日常、基礎となる潜在的な知識や集中力、観察力、洞
察力を養っておくことが重要で、このような能力があって初めて、ノイズ
の中から有用なデータ、情報に気付き、これらを発展させることができる。

4．ロボットはどこまで人間に近づくか

Ⅰ

①　ア　直前の内容から聞き手が当然のことと予想するであろう推論を否定す
るとき使われる。

例文：この高校は成績がよくないと入れないが、大学進学率が高いわけで

はない。

イ a　意味、内容

　 b　理由、事情

② この限りではない＝「適用されない」、「対象にならない」、「規則や制限に含まれない」などの意味。

例文：午前9時を過ぎると遅刻となります。但し、遅延証明のある人はこの限りではありません。

③ おそれがない＝「心配がない」、「不安がない」、「危険がない」などの意味。

例文1：規則正しい生活をしていれば健康を損なうおそれがない。

例文2：ここなら邪魔が入るおそれがない。

④ よりどころ＝「ある物事が成り立つもとになるもの」、「根拠」などの意味。

例文：判断のよりどころを明らかにする。

⑤ 心をいやす＝「心を和ませる」、「優しい気持ちにさせる」、「心や精神を落ち着かせる」などの意味。

例文：ペットの猫は仕事で疲れた私の心をいやしてくれます。

Ⅱ

1．ア　多くの場合に共通に適用される基本的なきまり・法則。

　　イ　アメリカのSF作家、アイザック＝アシモフが作品の中で示した。

　　ウ　現在でも、ロボットを開発するときのよりどころとされている。

2．2つの流れは、（1）「ヒューマノイド（人間型）ロボット」と（2）「非ヒューマノイドロボット」の開発である。前者はいかに人間に近づけるかということを考えたロボットで、後者は人間にはできないことをさせるロボットである。人の手を借りず自動で自動車や電子部品を生産する産業用ロボットが後者の代表である。

3．震災後に倒れてしまった家の中などに進入していき、出られなくなった人を探し出す災害対策ロボットおよび、医療分野で手術を補助する手術ロボットや高齢者などの介護を補助する介護ロボット。

5．2014年度ノーベル物理学賞—青色LED発明

Ⅰ

① 照明、ディスプレー、大容量の光ディスクなど。

② 壁を破る＝「困難や障害などを克服する」、「突破する」などの意味。
　例文：水泳競技では誰がオリンピック記録の壁を破るか注目されている。

③ 乗り出す＝「新たにあることをし始める」、「積極的に新しい分野へ入っていく」などの意味。
　例文1：近々、各国は月の資源開発に乗り出すといわれている。
　例文2：国連は中東の紛争の調停に乗り出す。

④ 一石を投じる＝「ある事柄について新たな問題や意見を提示し、世間や周囲の反響を呼ぶ」という意味。
　例文：彼女の今回の文学作品は文壇に一石を投じた。

Ⅱ

1．電圧を加えると発光する半導体素子である。電気エネルギーが直接光エネルギーに変換されるため、発熱などのロスが生じない。

2．すでに赤色と緑色の光を発するLEDは実現していたが、白色光を作り出すためには「光の3原色」が必要で、青色を発するLEDが不可欠であったため。

3．赤崎氏と天野氏は「窒化ガリウム」という材料を使い、明るい青色を放つLEDを作成するのに成功した。中村氏は赤崎氏・天野氏の成果に基づいて、安定して長期間光を出す青色LED素子を作製し、量産化に道を開いた。

4．ニック・ホロニアックJr.＝最初にLEDを開発した。発光した色は赤であった。
　西澤潤一＝高輝度の赤色LEDと緑色LEDを開発した。

5．適切な素材をなかなか絞り込めなかったため。

6．青色レーザーの基盤技術が開発され、大容量の光ディスク実現につながった。

6．リチウムイオン電池の発明

I

① 一時代を築く＝ある期間において人や物などが大変な人気になること。

例文：20世紀に一時代を築いたガソリン車も今後は電気自動車に置き換わっ

　　　ていくだろう。

② 一変させた＝すっかり変えた。

主語：リチウムイオン電池

③ 市場に出されて売買されるようになって25年（1/4世紀）が経過した、と

いう意味。

II

1．ウィッティンガム氏＝リチウムイオンを使った蓄電池の基本原理を突き止

めた。

グッドイナフ氏＝リチウムイオン電池の正極の開発に取り組み、コバルト

酸リチウムが優れた特性を備えることを見いだした。

吉野氏＝グッドイナフ氏らが開発した正極の対になる負極として、炭素材

料を採用することを考案。正極と負極を隔ててショートするのを防ぐセパ

レーターなどを含め、電池の基本構造を確立した。

2．スマートフォンやノートパソコンなどの電子機器の分野、太陽光発電した

電気などの蓄電に関する分野、ハイブリッド自動車や電気自動車などの分

野。

3．優れている点：従来の電池と比べて、高容量で大電流に耐えられる電池で

ある点。

優れた特性を備えている理由：リチウムは軽い元素であるので、電解液の

中を速く移動して電極をスムーズに出入りするため。

4．ニカド電池やニッケル水素電池など。

7．Googleの「量子超越」 AIしのぐ技術革新の衝撃

Ⅰ

① 大きな仕事や目標へむかう過程での一つの段階。「大きな節目」「経過点」「中間目標点」の意味（注）。

② この文での意味＝相手の力を上回る（1）

別の意味＝耐え忍んで切り抜ける（2）

（1）の例文：稽古の結果、横綱をしのぐ力をつけた。

（2）の例文：この寒さをしのぐには手袋が必要だ。

③ 物理的、あるいは心理的な衝撃。また、その影響や印象。

④ 「量子力学と呼ぶ」が修飾する語句＝物理の力

「アインシュタインすらをも」の言い換え＝アインシュタインさえ（を）も

⑤ 量子コンピューターを実現するために超えなければならない技術の課題の解決あるいは克服に要する時間。

⑥ 量子コンピューター

⑦ 文の主語＝グーグル

道筋をつける＝方針を固める、方向を示す・定める、アウトラインを決めるなどの意味。

例文：DNAを限定切断する制限酵素の発見が今日の分子生物学の発展に道筋をつけた。

⑧ 素地＝何かを行うときのもととなる基礎、土台。

例文：古典文学の素地があるから、あれだけの理解の深さがあるわけだ。

Ⅱ

1．現在の量子コンピューターでは量子ビットの状態は瞬時に壊れてしまい、また、エラーも発生しやすい。どのように安定させて誤りを補正していくかが今後、解決しなければならない重要課題である。

注）マイルストーンは日本でいう「一里塚」と類似の意味。一里塚は主要な街道におよそ1里（3.927キロメートル）ごとに築かれた、土が小高く盛り上がっている場所。

２．AIが必要としているけれども現在のコンピューターの計算力では使いこなすことができないビッグデータを量子コンピューターが処理すること。これにより、AIの飛躍的発展が期待される。

３．2か国＝米国および中国

　米国：グーグルおよびIBM

　中国：アリババ集団および華為技術

８．iPS細胞　創薬でも注目、既存薬でALS治験へ

Ⅰ

① ALSでは、運動神経が失われ全身の筋肉が動かなくなっていく。呼吸するために動かす筋肉（呼吸筋）も例外ではなく動かなくなっていくため。

② 主語：患者

　目的語：ボスチニブ

③ ウ

④ 病気に関係する物質を抑える化合物

⑤ ～がち＝「～する傾向にある」、「よく～をする」などの意味。

　例文：忙しくて庭の手入れが忘れがちになる。

⑥ iPS細胞の作製

Ⅱ

１．第1の応用法：再生医療。iPS細胞から作った細胞を患者に移植して、病気やけがで失った機能を取り戻す。

　第2の応用法：iPS創薬。病気の患者の細胞からiPS細胞を作成し、病変のある細胞に変化させる。この細胞で病気になる原因を調べるなど、多くの実験を行い、治療薬の開発を目指す

２．2グループにより行われる。京都大付属病院および慶応義塾大学。

３．既存薬を別の病気の治療に転用することである。

　利点：すでに安全性が確認できている既存薬を使うため、創薬の効率が大

幅に高まること。

課題：特許切れの既存薬は薬価が低く、国の支援をうけた大学等の研究成果を企業が引き継ぐことが困難である。成果を実用化につなげる仕組みをつくることが課題である。

4．京大病院では筋肉の難病「進行性骨化性線維異形成症（FOP）」の、また、慶応大病院では進行性の難聴「ペンドレッド症候群」の治験がそれぞれ行われている。

9．「神の領域」に近づくゲノム編集　人間での研究はどこまで許されるか

Ⅰ

① 想像の産物＝「想像により生じたもの」の意味。

言い切れない＝「つねに～とは言えない」、「必ずしも～とは言えない」などの意味。

例文：この姿形の宇宙人は想像の産物に過ぎないが、現実に存在しないとは言い切れない。

② DNAを切る「ハサミ」の役割をする酵素。

③ ゲノム編集でできるのはDNAに切り込みを入れるまでであって、そこから先は細胞がもともと持つDNAの修復機能に頼っているため、ゲノム編集できた細胞とできなかった細胞が混ざってしまうから。

④ 生まれる前の人に情報を与え、同意してもらうことはできないから。

⑤ 英国で行われているような体外受精で余った受精卵のゲノムを編集し、成長に不可欠な遺伝子を調べる、というようなこと。

Ⅱ

1．肉付きのいいウシや、おとなしくて養殖しやすいマグロ、大きなタイ、病気になりにくいイネなどの研究開発。

2．遺伝病の患者の体細胞原因遺伝子を改変することはインフォームド・コンセントを取った上、実施すれば倫理上の問題は解消する。しかし、受精卵

等でのゲノム編集は、将来世代まで改変が受け継がれるが、将来世代にインフォームド・コンセントを行うことは不可能であるためである。

3．現在残されている技術的問題：

1．目的外変異（目的としたDNAではないDNAに変異をもたらしてしまう問題。）

2．モザイク状変異の出現（ゲノム編集できた細胞とできなかった細胞が混ざってしまう問題）

原因：ゲノム編集で可能なことは、DNAに切り込みを入れるまでである。そこから先は細胞がもともと持っているDNAの修復機能に頼っていて、この部分はコントロールできないため。

10．ブラックホール撮影　次は「ジェット」の仕組み解明へ

Ⅰ

① 捉えた＝撮影した、観察した、など。

② 1916年、アインシュタインが一般相対性理論を発表した時期。

③ 天の川銀河の中心、地球から28,000光年。
M87銀河の中心、地球から55,000,000光年。

④ 太陽の質量をA、重い星からできるブラックホールの質量をB、今回撮影されたブラックホールの質量をC　とすると、

$$C = A \times 65億 = B \times 10億$$
$$B = A \times (65億/10億)$$
$$= A \times 6.5 \qquad よって、太陽の6.5倍$$

⑤ ブラックホールの自転。

Ⅱ

1．ブラックホールとは極めて大きな質量をもつ天体で、その大きな質量による強大な重力のため、光さえもこの天体に吸い込まれる。そのため、天体を直接観察できず、黒い穴として認識される。また、ブラックホールは質

量が大きいほどサイズが大きく、穴のように見える円形の影は距離が近いほど見かけ上、大きくなる。

2．ブラックホールは自転しており、これが原動力となり、周囲にある円盤状のガス雲と垂直の方向に、ガスが猛スピードで噴出する。これが「ジェット」という現象が発生するメカニズムである。

3．2012年頃からM87銀河の中心にある巨大ブラックホール（今回、撮影に成功）と天の川銀河の中心にあるブラックホール「いて座Aスター」の2つを対象に観測してきたことおよび、日本が参加する南米チリのアルマ望遠鏡が2017年に観測・研究に加わったことで感度が飛躍的に向上したため。

9784883198702

1920081016006

ISBN978-4-88319-870-2
C0081 ¥1600E

定価 本体1,600円 +税

客注
書店CD： 187280　　29
コメント： 81

受注日付： 241204
受注Ｎｏ： 126736
ＩＳＢＮ： 9784883198702
1／1
12　　　　ココからはがして下さい